D1216687

312, Ontario Est

Du même auteur

Le Petit Bob 2, répertoire de citations, Stanké, 2003.

Les Amants du pont Jacques-Cartier, roman, Trait d'union, 2002.

Le Petit Bob 1, répertoire de citations, Stanké, 1998.

[sous le pseudonyme de Saint-Ours] *Opération Pyro*, roman, Boréal, collection « Boréal Inter », 1991.

L'amour c'est tout, le hasard c'est autre chose, roman, Stanké, 1998.

Robert W. Brisebois

312, Ontario Est

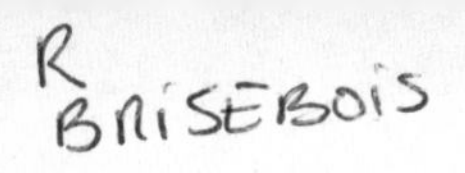

Catalogage avant publication de Bibliothèque et Archives Canada

Brisebois, Robert, 1933-

312, Ontario Est

ISBN 2-7604-0983-X

I. Titre. II. Titre: Trois cent douze, Ontario Est.

PS8553.R544T76 2005 C843'.54 C2004-941961-7
PS9553.R544T76 2005

Infographie et mise en pages: Ediscript

Les Éditions internationales Alain Stanké remercient le ministère du Patrimoine canadien, le Conseil des arts du Canada, la Société de développement des entreprises culturelles du Québec (SODEC) et le Programme de crédit d'impôt du Gouvernement du Québec du soutien accordé à leur programme de publication.

Les Éditions internationales Alain Stanké
7, chemin Bates
Outremont (Québec) H2V 4V7
Tél.: (514) 396-5151
Téléc.: (514) 396-0440
editions@stanke.com

Stanké international, Paris
Tél.: 01.40.26.33.60
Téléc.: 01.40.26.33.60

Dépôt légal:
1er trimestre 2005

ISBN: 2-7604-0983-X

Diffusion au Canada: Québec-Livres
Diffusion hors Canada: Interforum

À Vincent, Anthony et Justine

1

La misère s'est invitée toute seule chez nous. C'était une bien petite misère parce qu'elle n'a jamais été capable de chasser le bonheur et la joie de vivre qui régnaient à la maison. Mon père disait toujours : « On est né pour un petit pain. » Enfantillage ! Du pain, on n'en a jamais manqué, même que, des fois, la miche était si grosse qu'on n'arrivait pas, à quatre personnes dans la famille, à la manger avant qu'elle ne devienne dure comme de la roche. Je partage une toute petite chambre avec mon frère, Philippe. Lui, il a dix-sept ans ; moi, j'en ai dix. Nous partageons le même lit. La couchette est si large qu'elle occupe tout l'espace de la pièce. Évidemment, il n'y a pas de place pour mettre une armoire. Nos effets personnels : bas, caleçons, chandails, pantalons et autres vêtements de corps sont placés dans des boîtes en carton que nous glissons sous le lit. Je trouve ça bien commode. On tire les boîtes, on pousse les boîtes. Et le linge est toujours bien lavé, bien repassé et bien plié. Nous avons, mon frère et moi, chacun nos boîtes.

Mon père et ma mère occupent l'autre chambre du logement, beaucoup plus grande avec deux armoires et des gros crochets qui servent de placard. Il n'y a pas de boîtes sous le lit. La chambre de mes parents est séparée de la cuisine par un long passage meublé d'un canapé, deux fauteuils que le temps a creusés, une lampe sur pied et un appareil de radio qui gueule toute la journée. Ça, c'est le salon. La cuisine est très grande avec, au milieu, une table et quatre chaises. Quand il vient de la visite, on sort les chaises pliantes remisées dans le hangar, au bout de la galerie arrière. Au-dessus de la table, un long fil fixé au plafond allume un globe électrique. Nous ne manquons de rien : une fournaise au charbon, un fourneau au gaz, une machine à laver le linge, un moulin à coudre, un robinet d'eau froide et un lavabo. Autrefois, le compteur de gaz était dans la cuisine, mais il fuyait et cela empestait. La compagnie du gaz a réglé le problème. Elle a installé le compteur dans notre chambre. Mon frère et moi sommes d'accord. Nous dormons toujours la fenêtre ouverte.

Ah ! J'y pense. J'ai oublié la glacière, dans un coin de la cuisine. C'est une grosse *ice-box* en bois avec une lèchefrite en dessous pour ramasser l'eau qui coule quand la glace fond. L'été, on met la glace dans la porte du haut et le manger dans la porte du bas. L'hiver, c'est là-dedans que je mets ma tuque, mes mitaines et mon foulard. Le manger est empilé, cul par-dessus tête, entre les deux grandes fenêtres de la cuisine qui servent de glacière. Le pire, c'est les chiottes, coincées entre le mur et le lavabo. Quand tu es assis sur le trône, t'as les deux genoux dans la porte. Il y a une boîte d'allumettes collée sur le mur. Quand ça pue trop, on frotte une allumette, et le feu brûle les odeurs. S'il y a de la visite qui veille dans la cuisine, on se retient.

Nous habitons au deuxième étage. En haut de l'escalier intérieur, il y a deux logements, mais une seule adresse. La voisine, madame Bouchard, vit seule avec son fils Roma. Elle fait des ménages à Outremont, et lui pèse six cents livres. Impossible de croiser Roma dans l'escalier. Les marches sont trop étroites. Quand on arrive face à face avec lui, il faut reculer et le laisser passer. Son ventre est si énorme que Roma n'a presque plus de place pour mettre ses jambes dans son pantalon. Chaque fois que sa mère étend les sous-vêtements de Roma sur la corde à linge, tout le monde se met à rire. On dirait un drap de lit avec des boutons. Gros comme ça, c'est une maladie. Mon père dit que Roma souffre de grossesse. En tout cas, à le voir manger, on ne peut pas dire qu'il est né pour un petit pain.

En bas de chez nous, il y a d'autres voisins: les Lupien, les Chartrand, les Vallée. Du bien bon monde. Mes préférés sont les Lupien. Le père est inspecteur de la compagnie des tramways, pas un simple conducteur. C'est lui qui surveille les tramways et s'assure qu'ils sont à l'heure, et que les passagers sont confortables. Il est impressionnant dans son uniforme bleu. La mère Lupien est une bonne amie de ma mère. Il faut les voir, toutes les deux, placoter durant des heures, les jours de lavage, en train d'étendre leur linge. Les enfants Lupien sont plus vieux que Philippe et moi. Toute la famille travaille à l'extérieur, sauf Jeannette, la mère. Ils ont un frigidaire et le téléphone. Dans le frigidaire, il y a toujours du lait au chocolat. Chaque fois que je leur rends visite, ils m'en servent un grand verre. Le téléphone nous apporte surtout des mauvaises nouvelles. La famille de ma mère habite Mont-Laurier. Pour nous joindre, il n'y a que le numéro de téléphone des Lupien, « Dollard 2618 ». Si un malheur arrive, la mère Lupien nous annonce la nouvelle en criant: « Madame Dubois, vous êtes demandée au téléphone. »

Comme ma mère a une grosse famille, nous recevons une mauvaise nouvelle une ou deux fois par année. Au jour de l'An, ma mère téléphone à Mont-Laurier et souhaite une bonne santé à tout le monde. Ça coûte cher, téléphoner à Mont-Laurier, mais les Lupien sont généreux.

J'ai un ami qui s'appelle Henri-François. Je trouve ça bien enfargeant. Je ne sais jamais si Henri se dit avant François, ou le contraire. Je suis obligé de réfléchir chaque fois que je m'adresse à lui. Moi aussi, j'ai deux prénoms, mais c'est moins enfargeant. Pierre-Paul, ce n'est pas compliqué. Tout le monde m'appelle P.-P.

Lundi, à l'heure du souper, je suis rentré à la maison comme d'habitude. La police était dans la cuisine avec mon père et Philippe. Sur le coup, j'ai eu peur. Je me méfie toujours des policiers en uniforme. Ils annoncent souvent un malheur. Je me suis caché dans les chiottes pour écouter ce qu'ils disaient. Mon père semblait de mauvaise humeur. Il a dit au policier :

– Mon fils, Philippe, s'est fait voler sa bicyclette.

– Quand ? demanda le policier.

– Samedi après-midi, répondit Philippe.

– Je note, écrivit le policier, samedi le 20 juin 1942. À quel endroit était la bicyclette ?

– Rue Ontario, ajouta Philippe.

– Où, au juste ? interrogea le policier.

– Dans le bout de la rue Sanguinet.

– C'est pas loin du poste de police, dit en souriant le policier. Ta bicyclette était-elle dans la rue ou sur le trottoir ?

– Elle était sur le trottoir, appuyée sur une clôture.

– Te souviens-tu en face de quel numéro de porte ?

– C'est un peu vague, dit Philippe en baissant la tête. Quelque part, dans les environs du 300 quelque chose.

– Tu veux dire en face du 312, ajouta le policier avec un grand sourire moqueur.

– Veux-tu bien me dire ce que tu faisais là ? dit mon père en relevant les sourcils.

– J'étais avec des amis, expliqua Philippe sur un ton embarrassé.

– Je vais t'en faire, moi, « avec des amis », espèce de petit voyou ! ajouta mon père en haussant le ton.

– Quel âge as-tu ? demanda le policier.

– J'ai dix-sept ans, répondit Philippe.

– Il faut que jeunesse se passe, ajouta le policier d'un air indulgent. J'ai pris bonne note du vol. Nous allons faire tout notre possible pour retrouver ta bicyclette, mais, à l'avenir, tu devras être plus prudent.

2

La bicyclette de Philippe était rouge, avec des lignes blanches sur le cadre et les ailes. C'est l'oncle Henri qui lui avait donné, au mois de mars, quand notre cousin André s'est enrôlé dans l'armée. Tante Alexina, la sœur de mon père, ne fait pas de bicyclette, et l'oncle Henri a une belle Dodge 1935. C'était la première fois que Philippe recevait un cadeau de son parrain et de sa marraine. Lui, mon parrain, habite Mont-Laurier. Je l'ai rencontré une seule fois. Je pense qu'il n'a pas une bicyclette en trop. En tout cas, il n'a pas de fils dans l'armée.

Je ne sais pas quand j'aurai ma bicyclette à moi. Mon père travaille aux Shops Angus depuis un mois seulement. Il fabrique des chars d'assaut pour la guerre. Ma mère lui prend tout son argent. C'est elle qui paie le loyer et qui achète le manger. Il n'en restera jamais assez pour m'acheter une bicyclette. C'est dommage. Philippe venait tout juste de m'apprendre à conduire.

Philippe est débrouillard. Il travaille à l'épicerie Dolbec. Il est toujours à couteaux tirés avec mon père. Il ne veut pas payer une pension à la maison. Quand mon père insiste trop, Philippe le menace de s'enrôler dans la marine. Ma mère pleure et mon père ne dit plus rien. Philippe fait ce qu'il veut.

Monsieur Dolbec aime bien Philippe. Mon frère passe toutes ses journées au magasin. Il aide au comptoir et fait la livraison. C'est lui qui décore la vitrine avec les carottes, les oignons, les navets et les patates. Le soir, après la fermeture de l'épicerie, je vais aider Philippe à vider des poches de sucre et de farine. Nous les mettons dans des sacs de cinq et de dix livres. C'est plus commode que de vendre le sucre à la poche. J'aide aussi mon frère à coller sur des grandes feuilles les coupons de rationnement que les clients remettent quand ils achètent du sucre, du beurre ou de la viande. « Pas de coupons, pas de beurre ! Le rationnement, c'est sérieux. Il faut bien se priver un peu, dit Dolbec, si nous voulons que nos soldats en Angleterre aient de quoi manger tous les jours. »

Philippe rend toutes sortes de services à Dolbec et à sa femme. Il ne compte pas ses heures. Je sais que mon père n'est pas toujours d'accord. Il trouve que Philippe exagère. Ma mère ne dit rien de peur qu'il s'enrôle dans la marine. Moi, je trouve que Philippe a raison de rendre service à ses patrons. Il est très bien payé. Par exemple, le mois dernier, le père Dolbec a dû s'absenter durant trois jours pour cause de mortalité dans sa famille. Madame Dolbec a demandé à Philippe de passer la nuit avec elle dans le logement au-dessus de l'épicerie. C'est normal. Elle a peur de rester seule. Philippe m'a dit qu'elle lui avait donné un gros pourboire. On crache pas là-dessus !

À l'occasion, le père Dolbec sait se montrer reconnaissant envers Philippe. Quand il a appris que mon frère s'était fait voler sa bicyclette, il lui a donné la sienne en cadeau. Philippe était fou de joie. Il a pédalé dans les rues du quartier jusqu'aux petites heures du matin. C'est un beau bicycle CCM bleu métallique. Il ne servait plus à rien. L'hiver dernier, Dolbec s'est brisé une jambe en skiant sur le mont Royal. Depuis, il marche avec une canne.

Mon frère m'a demandé d'aller le rejoindre au restaurant chez Uzéreau, situé à l'autre coin de rue, juste en face de l'épicerie. Quand je suis arrivé, il y avait un attroupement de bicyclettes. La gang de Philippe se pâmait devant son nouveau bicycle. Tout le monde voulait l'essayer. Mon frère n'a pas voulu. Ils se sont chamaillés un bon moment, puis Philippe a sauté sur son vélo et a disparu dans la ruelle, derrière le restaurant. Les autres l'ont suivi. Je suis resté seul comme une borne-fontaine. J'ai bu le reste de la bouteille de Kik Cola que Philippe avait achetée. J'ai attendu.

Au bout d'une heure, tout le monde est revenu. Philippe m'a lancé des bêtises parce que j'avais bu sa bouteille de Kik. Je n'aime pas les engueulades. J'ai décidé de rentrer à la maison. Mon frère m'a crié:

– Pierre-Paul, sacrement! Viens ici. On va avoir besoin de toi.

C'est rare que Philippe m'appelle « Pierre-Paul ». D'habitude, c'est P.-P. Il doit avoir quelque chose d'important à me demander. Je suis revenu sur mes pas. La gang est entrée dans le restaurant pour discuter. Mon frère m'a demandé d'attendre à l'extérieur. Ce n'est pas facile d'avoir juste dix ans.

3

Enfin, la gang est sortie du restaurant. Philippe m'a pris par le bras :

– Écoute P.-P., dit-il, tu vas monter sur la barre de mon bicycle et venir avec nous. Je t'expliquerai ce que tu dois faire. N'en parle à personne, surtout pas à la maison.

Je n'étais pas à l'aise. La barre me coupait les cuisses. Philippe était penché sur le guidon et me soufflait dans le cou. Il avait dû manger des oignons et fumer des Turettes. À chaque coup de pédale, son haleine devenait de plus en plus forte. Impossible de me boucher le nez, j'avais les deux mains sur le tube de métal des poignées. Quand on a descendu la côte de la rue Sherbrooke, j'ai fermé les yeux. J'ai eu la peur de ma vie. J'ai pensé à Cadieux et Berland qui ont pris une méchante fouille sous un camion en descendant la rue McCulloch à bicyclette. Quand j'ai ouvert les yeux, Philippe tournait au coin de la rue Ontario. Il a failli accrocher un tramway. J'ai lâché un cri. Mon frère a continué son chemin comme si de rien n'était.

Philippe s'arrête devant une maison de pierre. Il semble bien connaître l'endroit. Il accote sa bicyclette sur une clôture en fer forgé, le long du trottoir. Les autres gars de la gang suivent derrière. Ils font comme Philippe. Ça fait une pile de bicycles contre la clôture.

Je connais presque tout le monde qui est là. C'est la bande à Philippe: Poil-Blanc, un blond à la peau blanche comme la figure poudrée d'un clown (je ne connais pas son vrai nom); Firmus Lorrain, les cheveux noirs, bas sur pattes et les épaules carrées; le grand Dupré, les yeux croches, long et sec comme un arbre de Noël au mois de janvier; Marco Latour, grosse bedaine et petite tête; Ti-Pit Langlois, laid comme un pou et frais-chié comme son père, le colonel Langlois. Il y a un nouveau venu. Je ne le connais pas. Il a plutôt l'air perdu parmi les autres.

Et moi je ne sais pas ce que je fais là.

Philippe veut que je garde les bicycles. Chacun des gars est prêt à me donner cinq sous. Ça va me faire trente-cinq sous. Je trouve que c'est bien payé. Mon frère me donne un gros sifflet noir, comme celui que les arbitres utilisent au hockey.

– Si tu vois quelqu'un qui traîne autour et qui tente de prendre une bicyclette, tu souffles là-dedans, me dit Philippe. Et tu siffles fort.

La belle affaire! Je ne sais même pas où va être mon frère. Il me rassure:

– Je vais être dans les environs. Ne t'inquiète pas. Siffle fort, c'est tout ce que je te demande.

Je demeure près des bicyclettes. Les gars discutent entre eux. Il est question d'argent. Chacun fouille dans ses poches. Poil-Banc n'a pas une maudite cenne. D'un geste, il retourne ses poches à l'envers. Philippe s'en mêle. Le ton monte. Il y a des pièces de monnaie qui changent de mains. Maintenant, Poil-blanc compte ses sous. Tout le monde est satisfait.

Les gars se mettent en file dans l'escalier qui conduit au deuxième étage de la maison de pierre. J'avance au pied de l'escalier pour voir où ils vont. Si je dois utiliser mon sifflet, je veux savoir dans quelle direction. Tout en haut de l'escalier, il y a trois portes. Philippe choisit celle de droite. Il entre le premier, et les autres suivent. Je retiens l'adresse. C'est le 312.

Tiens! Je me souviens, maintenant. C'est ici que Philippe s'est fait voler sa bicyclette. Mon père avait l'air de ne pas aimer l'endroit. Il a traité Philippe de petit voyou. Pourquoi petit? Je ne comprends pas. Philippe est plus grand que mon père. Il est aussi plus fort. Je pense qu'il voulait dire que Philippe n'est pas un GRAND voyou. C'est aussi mon avis.

C'est énervant de surveiller des bicyclettes. Chaque fois que quelqu'un passe sur le trottoir, je me prépare à siffler. Je vois des voleurs partout. C'est normal par les temps qui courent. Mon père a raconté qu'aux Shops Angus ceux qui viennent travailler en bicyclette sont obligés d'enlever les roues et d'attacher le reste du bicycle avec des chaînes.

Il y a quelques minutes, deux soldats en uniforme ont traversé la rue Ontario et se sont arrêtés devant les bicyclettes. Ils m'ont regardé un bon moment. Quand j'ai mis le sifflet dans ma bouche, ils sont partis vers la rue Saint-Denis. Là, ils viennent de rentrer à la taverne, juste au coin de la rue. Je ne vois pas pourquoi des soldats voleraient des bicyclettes. L'armée leur fournit déjà tout ce qu'ils veulent. Ils ont des camions, des autos, des bicycles à *gasoline*. Je n'ai encore jamais vu un soldat à bicyclette.

Tiens! Ils reviennent, les soldats. S'ils touchent aux bicycles, je siffle. Heureusement, ils s'arrêtent devant la maison de pierres. Ils se consultent, regardent autour d'eux, puis s'engagent dans l'escalier. Ils rejoignent la gang à Philippe. Ça commence à faire beaucoup de monde au 312.

Je poireaute depuis une heure. C'est vrai que je suis bien payé. Depuis le début des vacances, j'équeutais des fraises à la National Jam Company. Je gagnais un sou le cassot. Souvent, à la fin de la journée, un gros bras passait derrière moi et me volait mes cassots. J'espère seulement que la gang à Philippe va me payer. Certains, dans le groupe, ne sont pas fiables du tout. Poil-Blanc, par exemple. Il n'a jamais d'argent. Tout le monde dit qu'il joue aux cartes, dans l'arrière-boutique du garage, chez Boutin. Il perd tout le temps. En plus, il travaille juste les fins de semaine. Si Poil-Blanc refuse de me payer, Philippe va s'en occuper. Je ne suis pas trop inquiet.

Enfin, les voilà qui sortent du 312. Ils ont l'air de bien s'amuser. Ils ne semblent pas pressés de savoir ce qui arrive à leur bicyclette. Pas un mot, pas un regard : comme si je n'étais pas là. Ce n'est pas parce qu'ils payent un pauvre cinq sous qu'ils doivent se permettre de me traiter comme un ti-cul. Je sais que je suis trop jeune pour faire partie de leur gang, mais ce n'est pas une raison pour m'ignorer comme si j'étais une borne-fontaine. Heureusement que je peux compter sur Philippe. Les autres ne me parlent jamais. À leurs yeux, je suis le petit frère morveux. J'y pense souvent : quand je serai grand, je leur botterai le cul.

Je prends mon sifflet et je leur siffle un coup. Subitement, ils ont peur. Peut-être croient-ils que c'est la police ? Ils enfourchent leur bicyclette et pédalent à toute vitesse vers le nord de la ville. Philippe n'est pas parti avec les autres. Il s'approche de moi :

– Tu as fait du bon travail, P.-P., dit-il. On va t'emmener encore.

Il plonge la main dans sa poche et en sort une pièce de vingt-cinq sous et une autre de dix sous.

– Tiens ! C'est le montant qu'on te doit.

C'est extraordinaire ! Je dis à Philippe :

– À ce compte-là, tu peux compter sur moi quand tu voudras.

Philippe est plutôt gentil avec moi. Mais cet après-midi, je le trouve plus souriant que d'habitude et plus détendu aussi. C'est rare qu'il est comme ça. Généralement, il est nerveux, *speedy*. Je n'ose pas poser de questions. Mais j'aimerais bien savoir ce qui s'est passé au 312 pour expliquer cette bonne humeur qu'il porte sur son visage. Je connais Philippe. Il ne me dira rien. Après tout, de quoi je me mêle ? J'ai été bien payé et je n'ai pas travaillé bien fort. À part les soldats qui sont venus fureter autour des bicyclettes, tout s'est bien passé.

Je prends ma place sur la barre du bicycle de Philippe, et nous filons vers la maison. Mon Dieu que le pédalage a l'air pénible ! Dès les premiers coups de pédales, mon frère pompe l'huile. Je me sens même obligé de lui proposer de marcher à côté ou de le pousser. Il ne me répond pas. Sauf que son orgueil prend un méchant coup lorsqu'on arrive au pied de la côte de la rue Sherbrooke. Non seulement je saute en bas du bicycle, mais lui-même décide de monter la rue à pied. Philippe est plus fringant à l'aller qu'au retour.

4

C'est un beau soir d'été. Il fait chaud, et l'odeur de frites qui sort des cuisines du restaurant Uzéreau me monte au nez. J'ai toujours dans ma poche les trente-cinq sous que m'a remis Philippe cet après-midi. J'ai toujours envie de les dépenser. J'ai attendu durant plus de deux heures que passe enfin dans ma rue la voiture blanche à patates et à hot-dogs. C'est mon *snack* préféré. Un bon hot-dog steamé avec du chou et un gros sac de frites bien huileuses. En plus, c'est cinq sous moins cher que chez Uzéreau.

Je n'ai pas le choix, je vais au restaurant. Je commande une frite bien salée avec un gros Kik Cola. Tout mon argent y passe.

La gang de Philippe est attablée dans un coin. Un gros Kik, c'est beaucoup trop pour moi. Je remplis un grand verre et je vais le porter à Philippe. L'autre jour, il m'a engueulé parce que j'avais bu le reste de son Kik. Cette fois, nous sommes quittes.

Dès que j'approche de la bande, la conversation s'arrête. Philippe me dit d'aller jouer ailleurs. Je comprends tout de suite. Ils sont en train de parler de leur visite au 312. C'est une affaire qui concerne les grands. Je m'éloigne un peu. Je continue à manger mes frites et à boire mon Kik. Je suis quand même curieux de savoir ce qu'ils y ont fait. Je tends l'oreille et j'attrape quelques mots au passage. Je ne comprends pas tout, mais ça m'intéresse quand même.

– Toi, Dupré, dit Poil-Blanc, avec ta grosse queue, tu devrais aller avec la grande noire qui a une verrue près du nez. Elle a le cul comme la caverne d'Ali Baba. J'ai flotté là-dedans pendant dix minutes et je n'ai rien senti. J'ai payé deux piastres, et elle a été obligée de me finir à la main.

Tout le monde éclate de rire, et Firmus Lorrain enchaîne :

– Moi, les gars, j'ai bien aimé la p'tite rouquine. Elle avait une langue râpeuse comme celle d'un chat… du vrai papier sablé. Elle m'a attrapé le bataclan des deux mains, et allons-y par là ! Quand est venu le temps de la planter, il était trop tard. J'avais le « firzeau » comme une banane trop mûre.

Ti-Pit Langlois s'en prend à Latour assis au bout de la table.

– Toi, Marco, dit-il, tu n'as pas l'air d'avoir réussi le test. Je t'ai vu sortir de la chambre, la tête basse, la *fly* ouverte et la ceinture détachée. Pour une première fois, t'aurais dû te forcer. La fille avait l'air en beau maudit après toi. Qu'est-ce qui est arrivé ?

Philippe intervient :

– Ti-Pit, laisse Marco tranquille. C'était la première fois. C'est normal. Il va se reprendre, et ça va marcher. Il est tombé sur une toutoune pas facile à trimbaler. J'aurais bien voulu te voir, toi Ti-Pit, avec cet hippopotame. La prochaine fois, Marco – c'est moi qui te le dis –, choisis la p'tite blonde que j'avais. Elle a de l'expérience. Elle va te montrer tout ce qu'il faut faire au lit.

– En tout cas, la prochaine fois, lance Dupré, je fais une passe à la p'tite Chinoise. Quand je suis sorti de la chambre, je l'ai croisée dans le passage, et elle m'a lancé un de ces regards qui avaient l'air de dire: « Tu viens-tu, mon coco? » Si j'avais eu un autre petit deux piastres, je l'aurais plantée là, debout dans le passage.

– Tu t'excites un peu fort, le grand, ajoute le fraischié à Langlois. Les Chinoises sont fendues de travers. Tu peux pas les planter debout.

– Arrête-moi ça, réplique Philippe. C'est une vieille histoire. Les Chinoises sont faites comme les autres. J'en sais quelque chose, je l'ai déjà essayée.

Ils ont l'air tellement occupé à raconter leurs exploits qu'ils ne me voient pas. J'en profite pour les écouter encore un peu, puis je finis mes frites et je sors. J'avoue que je n'ai rien compris de ce qu'ils racontent. Tout ce que je peux dire, c'est qu'ils se sont bien amusés.

En fin de soirée, toute la famille veille sur le balcon. Nous sommes très encombrés par les quatre chaises de la cuisine. Il n'y a même pas de place pour le chat. Mon père n'aime pas le chat, et lui ne l'aime pas non plus. Quand ils se voient, ces deux-là, ils se crachent dessus. Le voisin d'à côté, le gros Roma, est assis sur les marches du perron, en bas de l'escalier. De toute façon, avec ses six cents livres, le balcon ne tiendrait pas le coup.

Il fait vraiment trop chaud pour dormir. Nous étirons la soirée jusqu'au début de la nuit. Mon père a envoyé chercher des Mellow Rolls au chocolat chez Uzéreau. Tout le monde lèche sa crème à la glace dans le but de se rafraîchir le gosier. Je mijote en silence les quelques questions que je veux poser à Philippe sur ce qui s'est dit au restaurant cet après-midi. Certaines choses m'intriguent.

Il est deux heures du matin, et je ne dors pas encore. À cause de la chaleur, nous sommes étendus presque nus, mon frère et moi, dans ce grand lit qui remplit toute la chambre. La fenêtre est grande ouverte, et on entend les chats hurler dans la ruelle.

J'ai une première question à poser à Philippe.

– Quand Langlois dit que les Chinoises sont fendues en travers, est-ce qu'il veut parler de leurs yeux en amande ?

– Qu'est-ce que tu racontes ? me lance mon frère. Veux-tu bien dormir !

J'ai une autre question.

– Je connais bien l'histoire d'Ali Baba. Mais quand Poil-Blanc dit qu'elle a le cul comme la caverne d'Ali Baba, qu'est-ce qu'il veut dire au juste ?

– Tu es trop jeune pour savoir ça, répond Philippe. Et puis tu n'as pas d'affaire à nous écouter. Contente-toi de surveiller les bicyclettes et ferme ta gueule. Pour le moment, essaye de dormir.

Les réponses sont claires. Ça m'apprendra à poser des questions sur des choses qui ne me regardent pas.

5

Philippe s'est levé tôt. L'épicerie Dolbec ouvre à sept heures. Cette nuit, la chaleur était étouffante, et j'ai eu du mal à dormir. Je traîne au lit jusqu'à dix heures. J'ai juste envie, ce matin, d'aller prendre une bonne douche et faire quelques longueurs au Bain Turcot. Je n'ai pas le temps de déjeuner. Le bain public ouvre à dix heures. Par une journée aussi chaude, il faudra faire la queue. Si seulement nous avions une baignoire comme chez les Lupien, je ne serais pas obligé d'aller me laver avec cette bande de crottés de la rue Saint-Dominique. À trois par cabine de déshabillage, ça sent le diable. En plus, il faut que je surveille mes choses. Une fois, je me suis fait voler mon savon et ma serviette.

Je fouille dans mes boîtes de carton sous le lit à la recherche de mon costume de bain. J'ai tout mis à l'envers et ne trouve rien. La dernière fois, je l'ai mis au lavage avec ma serviette. Je demande à ma mère où il est.

– Regarde comme il faut, dit-elle. Je dois l'avoir mis dans une de tes boîtes.

Je lui rappelle que j'ai fait le tour et que je ne trouve rien.

– Cherche toujours ! ajoute ma mère. Si tu ne trouves pas, regarde dans celles de Philippe. Je me suis peut-être trompée.

Je n'ai jamais fouillé dans les boîtes de Philippe. Il me l'a bien défendu. S'il l'apprend, je vais me faire engueuler. Cette fois, par contre, j'ai une bonne raison. C'est ma mère qui me le demande.

Je me penche sous le lit et je glisse la première caisse vers moi, au bord. C'est écrit, sur le côté de la boîte, Savons Barsalou. Philippe a dû la prendre à l'épicerie Dolbec. Pour une fois que j'ai la permission de fouiller, je vais en profiter. Au fond de la boîte, cachée sous le linge plié, une grande enveloppe brune fraîchement décachetée attire mon attention. Je l'ouvre. Il y a quelques magazines avec des photos de femmes nues. Je les feuillette rapidement de peur d'être surpris par ma mère. C'est la première fois que je vois ça. Dans un petit coffret en plastique, je trouve un jeu de cartes.

Oh là là! Cinquante-deux photos cochonnes! Je m'assure que ma mère est occupée et je m'installe pour les regarder tranquillement, l'une après l'autre. Je n'ai jamais rien vu de pareil. Chaque photo présente des scènes troublantes. Des gars et des filles, complètement nus, se mangent les uns les autres et se rentrent dedans, par en avant et par en arrière. J'ai les doigts qui tremblent. Je me dépêche d'examiner chaque photo. Mais d'une carte à l'autre, ça se ressemble beaucoup. Sauf la dame de pique, où deux gars et deux filles jouent ensemble. Ils ont l'air de bien s'amuser.

Je remets le tout en place. Ressentant une vive envie de pisser, je vais aux toilettes. Ça ne pisse pas. Je me dis que c'est à cause de l'énervement. Je retourne sous le lit. Je trouve enfin mon costume de bain dans une autre boîte. Je prends une serviette, un savon, et je cours au Bain Turcot. Il y a foule. Je me mets à la file et j'attends mon tour. Ce que j'ai vu me rend nerveux. Je prends une douche bien froide et je plonge dans la piscine.

Je suis de retour à la maison à l'heure du lunch. Philippe est déjà là. Ma mère a préparé des sandwichs au beurre de *peanuts* «poutiné» avec de la mélasse. Ce n'est pas facile à avaler. Mon père travaille la nuit et dort le jour, parce que les Shops Angus font des chars d'assaut vingt-quatre heures par jour. Ma mère marche sur le bout des pieds, mon frère et moi parlons bas.

Philippe m'entraîne alors sur le balcon. Il s'allume une cigarette et me regarde droit dans les yeux:

– Tu avais donc bien des questions, hier soir, me dit-il. Tu ne serais pas un peu trop curieux? Que voulais-tu savoir au juste?

Il ne le sait pas, mais son jeu de cartes a répondu à presque toutes mes questions. Sauf, peut-être, dans l'affaire des Chinoises fendues en travers. Je n'ai pas vérifié, car il n'y avait pas de photos de Chinoises. Je trouverai bien une occasion d'éclaircir ce mystère. Pour le moment, je me contente de faire savoir à Philippe que mes demandes étaient superflues. Tout ce que sa gang raconte me passe dix pieds par-dessus la tête. Ça ne m'intéresse pas du tout.

– Deux choses, ajoute Philippe: si tu veux continuer à surveiller nos bicyclettes, tiens-toi loin de nos conversations; deuxième affaire, ne raconte à personne tes visites rue Ontario ni ce que tu entends dire. Compris? Au lieu de trente-cinq sous chaque fois, nous allons t'augmenter à cinquante sous.

J'ai surtout compris qu'ils allaient retourner au 312, et qu'ils m'emmèneraient avec eux. Si l'augmentation à cinquante sous tient toujours, je n'ai aucune objection.

En fait, durant le mois de juillet, j'ai accompagné la gang à Philippe au moins trois fois par semaine. Une piastre et demie par semaine, c'est plus que je n'ai jamais gagné. Je ne vais plus écouter chez Uzéreau ce que les gars racontent au retour de leur visite au 312. En fait, c'est toujours la même chose. J'ai aussi appris à ne plus poser de questions à Philippe. Je devine que ça l'agace.

Je me sens coupable et troublé. Coupable : trois fois, je suis allé fouiller dans la boîte à Philippe sous le lit. J'ai passé et repassé les cartes cochonnes. Je suis presque certain qu'elles indiquent assez clairement le genre d'exercices pratiqués par la gang à Philippe au 312. Je n'ai rien dit à personne. C'est mon secret. Troublé : je me demande si je devrais me confesser d'avoir pris plaisir à regarder ces cartes. Comme c'est les vacances, je ne suis pas obligé d'aller à confesse et d'aller communier les premiers vendredis du mois. Personne ne me surveille. En septembre, je verrai. En attendant, je vais réciter l'acte de contrition en fermant les yeux. Après tout, ce n'est peut-être pas aussi grave que je le crois.

6

J'ai une boule de tristesse au creux de l'estomac. Depuis quelques jours, ma mère crache dans une bassine de métal que mon père lui a achetée. Je crains qu'elle soit très malade. Le médecin est venu deux fois, et il a insisté pour qu'elle aille se faire photographier les poumons. Elle prétend que ce n'est pas urgent. Madame Lupien a offert de l'accompagner. Rien à faire. Ma mère ne veut pas sortir. Elle se sent trop fatiguée. Depuis qu'elle est malade, j'essaie de l'aider à la maison. J'essuie la vaisselle, je balaie le plancher, je prends soin de mon linge, je fais des commissions. Je voudrais bien l'aider plus, mais je ne sais pas toujours comment.

Aujourd'hui, c'est jour de lavage. Je pousse la table de cuisine dans un coin et tire la machine à laver au milieu de la place. Je fais chauffer de l'eau dans le grand *boiler* et remplis la machine. Ma mère met le linge sale à brasser, puis elle va se coucher. Ça pue la crasse, l'humidité et le savon détrempé. Heureusement, madame Lupien arrive au même moment. Elle m'aide à faire le lavage. Nous passons la première brassée dans le tordeur, puis ma mère arrive. Elle a l'air reposé. Madame Lupien aide ma mère à étendre le linge. Comme d'habitude, elles vont bavarder ensemble durant des heures. J'en profite pour sortir.

Je vais frapper chez Henri-François Otorino (ou François-Henri, je ne sais jamais). C'est mon seul copain dans le quartier. Il demeure de l'autre côté de la rue. Il n'est pas souvent à la maison, mais, quand il est chez lui, il est souvent occupé ou malade. On joue très rarement ensemble. J'aimerais bien être son ami de tous les jours, même s'il est un peu plus jeune que moi. Mon père dit que les Otorino sont des expatriés italiens, et qu'ils devraient être en prison depuis que nous sommes en guerre contre l'Italie. Henri-François dit qu'il est espagnol. Moi, je ne savais même pas que nous étions en guerre contre l'Italie.

La journée sera longue. Henri-François ne vient pas jouer avec moi. Il a un cours d'anglais. Je ne comprends pas. Il parle déjà couramment le français. Quelle idée aussi de suivre des cours en plein mois de vacances! Je pense que son père veut déménager dans un pays où on ne parle que l'anglais. C'est dommage parce que c'est mon seul copain.

Je voulais aller au parc Saint-Michel, mais je n'irai pas. La dernière fois, j'ai reçu de Bissonnette une de ces raclées! C'est toujours la même histoire. Mon frère est plutôt costaud et bon batailleur. Quand il casse la gueule à quelqu'un, la victime se venge sur moi en me tapant dessus. C'est ce qui est arrivé avec Bissonnette. Et ce n'est pas la première fois.

Je vais m'asseoir sur un banc dans le parc, en face de l'église. Je me ramasse là quand je n'ai rien à faire. C'est agréable. Ça sent les fleurs et le gazon fraîchement coupé.

Deux soldats en uniforme s'approchent de moi. Ils ont l'air sympathiques. Le plus grand me demande:

– Est-ce que tu habites dans les environs?

Je ne vais pas leur raconter ma vie... quand même! Je connais le quartier sur le bout des doigts. Je le parcours depuis mon enfance, en carrosse d'abord, puis à pied, à bicyclette, en tramway et même en auto avec l'oncle Henri. Je me contente de les rassurer.

– Parce que, poursuit-il, je viens de la Gaspésie, et mon copain est de Québec. Nous sommes arrivés à Montréal, hier soir, et nous sommes un peu perdus. J'ai l'adresse d'une sœur de mon père qui habite tout près. Nous y sommes allés, mais il n'y a personne. Je ne sais pas encore si nous allons y retourner.

– Il ne faut pas traîner trop, dit l'autre soldat, un petit trapu aux oreilles décollées, parce qu'il faut être au manège militaire à la fin de la journée.

– Nous avons tout notre temps, réplique le grand. Il est à peine midi.

Chaque fois que je croise des soldats, je me demande toujours s'ils sont en ville pour nous défendre contre une attaque des Allemands, ou s'ils se préparent à aller les combattre chez eux. Personne ne me dit rien. Tout ce que je sais, c'est que, certains soirs, la police organise des black-out. Nous fermons toutes les lumières dans la maison, au cas où les Allemands viendraient nous bombarder. C'est donc sérieux. Je demande au plus grand des deux s'il est ici pour rester ou s'il doit partir pour la guerre.

– C'est un secret, me répond-il. Nous ne savons pas quand nous partirons pour l'autre bord.

C'est curieux ! J'entends souvent cette expression : « l'autre bord ». Des soldats partent pour l'autre bord, arrivent de l'autre bord. Mais l'autre bord de quoi ? Je me risque à demander au plus dégourdi des deux c'est où, l'autre bord ?

– C'est l'Angleterre, je crois. On traverse l'Atlantique en bateau. J'en ai entendu parler. C'est pas mal dangereux. Il y a des sous-marins allemands qui nous tirent dessus en pleine mer. J'ai bien hâte de voir ça.

Si la guerre dure encore bien des années, il se peut que je sois obligé d'y aller. Je parle de mon frère,

Philippe. Au moins une fois par mois, il menace mon père de s'enrôler dans la marine. Je veux savoir pourquoi, eux, ils ont choisi l'armée plutôt que la marine.

– Moi, me dit le plus grand, j'ai passé ma vie sur des bateaux de pêche en Gaspésie, et je me suis enrôlé pour ne plus voir la mer. J'ai envie de voir autre chose. Sur un bateau de cinq heures du matin jusqu'au soir, le vent, la pluie, les tempêtes, non merci ! C'est fini pour moi. Vive le plancher des vaches !

– Il a bien raison, ajoute le petit gros aux oreilles décollées, puis, dans mon cas, dès que je mets le pied sur un bateau, j'ai mal au cœur.

Si j'ai bien compris, leur prochaine traversée de l'Atlantique sera pénible. Nous restons un bon moment à bavarder. Je leur pose des tas de questions sur l'entraînement des soldats, la vie dans l'armée et la peur de mourir au front. Les réponses sont vagues, mais les niaiseries du plus grand me font bien rire. À la fin, je comprends que celui-ci a bien d'autres chats à fouetter plutôt que de répondre aux questions d'un ti-cul comme moi. Il a envie d'avoir du bon temps avant de retourner à la caserne, ou au manège militaire…

– Dis-moi, le jeune, connais-tu un endroit où nous pourrions nous amuser, prendre un coup et voir des filles ?

D'abord, je pense leur suggérer le parc Belmont, mais si je comprends bien ce n'est pas le genre d'amusements qu'ils recherchent. À part le Scenic Railway et le tapis roulant, ils vont trouver que ça manque d'excitation. Il y a, bien sûr, le 312 Ontario. J'ai tellement vu de soldats entrer et sortir de cette maison, je suis certain qu'ils se sentiront en famille. Je ne donne pas de détails sur ce qui peut se passer à cet endroit, mais j'insiste sur le fait que mon frère et ses amis y vont souvent et qu'ils ont l'air de bien s'amuser.

– Est-ce que ça coûte cher, demande le bas-sur-pattes ? Parce qu'on n'a pas beaucoup d'argent.

– Quand même ! On n'est pas des « cassés », enchaîne l'autre.

Je ne sais pas grand-chose sur le prix à payer. Je me souviens seulement que Poil-Blanc a déjà dit que pour deux piastres… J'ai oublié le reste. Je leur file l'information.

– Qu'est-ce qu'on a pour deux piastres ?

Je leur réponds :

– Du *fun*.

– C'est ce qu'on veut, ajoute le plus grand. Est-ce que c'est loin d'ici ? Combien peut coûter un taxi ?

Un taxi ! Quelle idée ! Un tramway peut les conduire à la porte ou presque. Je les accompagne jusqu'au coin de la rue, de l'autre côté du parc. Sur place, je leur explique le trajet. D'abord, il faut acheter quatre billets pour vingt-cinq sous, puis prendre le tramway Saint-Laurent 55, descendre à la rue Ontario, traverser la rue Saint-Laurent, sur la gauche, et marcher jusqu'au 312. Ce n'est pas compliqué.

Les deux soldats inconnus me disent merci et me serrent la main. C'est rare que quelqu'un me donne la main et me remercie. D'habitude, quand une personne est satisfaite de mes services, elle me glisse cinq sous et disparaît. Je leur souhaite bonne chance et je les regarde monter dans le tramway. J'espère qu'ils vont bien s'amuser au 312.

J'observe le « p'tit char » descendre la rue Saint-Laurent. Le grincement des roues sur les rails me fait penser à la guerre, aux chars d'assaut, comme ceux que mon père construit aux Shops Angus. Je ne sais pas pourquoi, mais le sort de ces deux soldats m'inquiète tout à coup. Qu'est-ce qui les attend ? Vont-ils survivre à la guerre ? Je les ai trouvés vraiment très aimables.

Pourquoi des gars aussi sympathiques iraient mourir au combat, alors que d'autres, vraiment détestables, s'en sortiraient ? C'est injuste, comme le reste, même si je ne sais pas, au juste, c'est quoi le reste.

Je rentre à la maison en fin d'après-midi. Ma mère doit bien avoir fini son lavage. En montant l'escalier, je suis frappé en plein dans le nez par une odeur de boudin. Pépé Thouin de Mont-Laurier est sûrement à la maison. Chaque fois qu'il vient à Montréal, il s'arrête chez nous ; chaque fois, il apporte du boudin. Moi aussi, j'aime bien le boudin. Mais ma mère en fait cuire uniquement lorsque pépé en apporte.

Léon Thouin, c'est le père de ma mère. Il possède un gros moulin à scie à Mont-Laurier. C'est mon grand-père favori… Il faut dire que l'autre, le père de mon père, est mort depuis longtemps. En fait, je ne l'ai pas connu. Léon est toujours de bonne humeur. Un peu trop de bonne humeur au goût de ma mère, parce qu'il a souvent un verre de trop dans le nez. Moi, j'aime mieux quelqu'un qui lève le coude, mais qui est gai. Mon père et mon frère ne boivent jamais, mais ils ne sont pas drôles tous les jours. C'est peut-être mieux comme ça pour la paix familiale. Heureusement que pépé Léon vient faire son tour de temps en temps.

En réalité, il nous rend visite au moins une fois par mois. Je sais pourquoi. Il arrive avec son paquet de boudin et une enveloppe remplie d'argent. Il glisse l'enveloppe dans le tablier de ma mère. D'abord, elle fait semblant de refuser, puis elle va cacher son butin sous une pile de linge dans la commode de sa chambre. La manigance s'arrête là. Je me demande si mon père est au courant. C'est peut-être un secret entre pépé et ma mère.

Pour ma part, je suis trop curieux pour ne pas deviner ce qui se passe. Certaines conversations entre pépé et ma mère ne m'échappent pas. Avec le temps, j'ai fini par comprendre ce qui se cachait derrière ce geste : le moulin à scie de Mont-Laurier rapporte beaucoup d'argent. Presque tous les membres de la famille Thouin travaillent au moulin, et tout le monde se graisse à qui mieux mieux. Ma mère vit à Montréal, mon père ne travaille pas toujours régulièrement, et les fins de mois sont parfois difficiles. Pépé Léon trouve que ma mère a besoin d'un petit coup de main. C'est là toute l'histoire.

Pépé Léon s'en va tout de suite après le souper. Il ne couche jamais à la maison. Il préfère loger à l'hôtel. De toute façon, nous n'avons pas de place. Cette semaine, mon père travaille de soir et il arrive vers minuit. Une odeur de boudin flotte encore dans la cuisine. J'entends mon père dire à ma mère : « Tiens ! Le vieux Léon est venu faire son tour. Qu'est-ce qu'il avait de neuf à raconter ? » Ma mère ne répond pas. Pas un mot au sujet de l'enveloppe. Il y a de la cachotterie là-dessous.

7

Ma mère m'envoie faire des commissions à l'épicerie chez Dolbec. J'achète de la farine, du beurre, des œufs et une boîte de Corn Flakes. Monsieur Dolbec est absent. C'est Philippe qui me sert. Je n'ai pas d'argent pour payer. Mon frère inscrit dans le livret de crédit de la famille le montant de mes achats. Ma mère viendra payer en fin de semaine, lorsqu'elle encaissera la paye de mon père. Je me demande, des fois, à quoi peut bien servir l'argent des enveloppes de pépé. Sûrement pas à payer l'épicerie, en tout cas.

Avant de partir, Philippe m'accroche par le bras. Il m'entraîne à l'extérieur de l'épicerie, comme si quelqu'un pouvait nous entendre. Peut-être que madame Dolbec est cachée dans le *back-store*.

– Bon, tu peux te libérer, en fin d'après-midi? me demande Philippe. J'aurai besoin de toi comme gardien de bicyclette. Je t'attendrai chez Uzéreau vers quatre heures.

Je lui fais signe que c'est d'accord. Je ne vais pas commencer à faire des histoires. De toute façon, je n'ai rien d'autre à faire pour le moment. Je rends ce service depuis des semaines, et ça me rapporte quand même quelques sous. Ce que mon frère et sa gang font au 312 Ontario, je m'en sacre pas mal.

À la maison, aujourd'hui, c'est jour de repassage. Je ne peux pas aider ma mère à repasser le linge. Madame Lupien vient donner un coup de main. J'aime bien Jeannette Lupien. C'est une femme toute potelée, avec une belle figure ronde, des mains dodues, des petits pieds et des cheveux frisés. J'ai un faible pour les personnes frisées comme un mouton. Moi-même, j'aimerais bien avoir les cheveux frisés. Ça fait une belle tête. Si on n'est pas beau, la chevelure sauve le reste. Avec mes cheveux coupés en brosse, j'aurais du mal à mettre des bigoudis. Il n'en est pas question non plus. Mon père me mettrait son pied au cul.

Il est près de quatre heures, et j'arrive chez Uzéreau. Philippe m'attend avec sa bicyclette. Il est seul. Où sont les autres de la gang?

– Aujourd'hui, dit mon frère, nous y allons seulement tous les deux.

Pas question! Je ne vais pas faire tout le trajet et attendre une heure sur le trottoir pour cinq sous. Il ne faut pas me prendre pour une poire. Je veux bien rendre service; mais trop, c'est trop. Si je joue le jeu, c'est parce que ça me rapporte de l'argent de poche. Je suis le serviteur de personne. Philippe semble contrarié.

– Écoute, frérot, me dit-il, si c'est juste une question d'argent, je vais te payer les trente-cinq sous comme avant.

Je lui rappelle que, la dernière fois, il était d'accord pour me payer cinquante sous par expédition. J'ai de la mémoire, et je peux me montrer têtu quand ça fait mon affaire. Je sais que c'est un gros montant pour une seule bicyclette à surveiller. Je sais aussi qu'il ne trouvera personne pour me remplacer. Autant en profiter. Dolbec lui paye un bon salaire, et je soupçonne madame Dolbec de lui verser de généreux pourboires à l'occasion. Il a les moyens de payer. Je tiens mon bout.

– Tu me fais chier !

Philippe n'est pas content. Il met la main dans sa poche et me verse deux vingt-cinq sous.

– Tiens, les voilà, tes cinquante sous. Maintenant, ferme ta gueule et embarque.

Il a l'air pressé et en beau maudit. Tout au long du trajet, il ne dit pas un mot. Arrivé en face du 312, il se précipite dans l'escalier. Il oublie de me remettre le sifflet noir que je dois utiliser en cas d'urgence.

Je lui lance :

– Et le sifflet ?

Il ne se retourne même pas et disparaît derrière la porte du 312. Je poireaute depuis un quart d'heure sur le trottoir lorsqu'une pluie chaude me tombe dessus. Je cours me cacher sous l'escalier juste à côté. Je traîne la bicyclette. Les contremarches me protègent de la pluie quand une bourrasque de vent s'en mêle, puis elles m'empêchent aussi d'être vu des policiers qui patrouillent rue Ontario. Pourtant, je n'ai rien à cacher. Mais à force de me voir traîner par ici plusieurs fois par semaine, la police a commencé à me poser des questions. La dernière fois, ils m'ont demandé à qui appartenaient les bicyclettes que je surveillais. J'ai dit la vérité. Ensuite, ils voulaient connaître le nom et l'âge des « clients » du 312. J'ai dit que je n'en savais rien. Un des policiers a même insisté pour que je lui décrive ceux qui étaient à l'appartement. J'ai eu peur. Je ne savais plus quoi faire. Pris de panique, j'ai dénoncé mon frère. J'ai dit qu'il portait des pantalons beiges, une chemise brune à carreaux et des *running shoes* bleus…

– Mais quand il est tout nu, dit-il, comment on fait pour le reconnaître ?

L'autre policier est intervenu. Il a demandé à son ami de me laisser tranquille. L'autre s'obstinait toujours. Il voulait monter et faire du trouble au 312. La chicane a commencé entre les deux. Un troisième policier est arrivé, et il a calmé tout le monde. Pendant ce temps, moi, ils m'ont oublié.

C'est partie remise. Un de ces jours, la police va revenir me questionner. Ce que je ne comprends pas : pourquoi les policiers me posent toutes ces questions ? Après tout, ce qui se passe au 312 ne doit pas être défendu. D'ailleurs, le poste de police est juste en face.

La pluie cesse et le soleil revient. Au moment où je me prépare à retourner sur le trottoir avec la bicyclette, un garçon de mon âge sort de chez lui. Il habite juste en dessous de l'escalier qui mène au 312. Il a l'air gentil. Il me demande mon nom. Je lui donne les deux versions : P.-P. et Pierre-Paul. Il semble préférer P.-P. Moi, je suis un peu gêné et j'oublie de lui demander le sien. Il prend les devants :

– Je m'appelle Yvon, dit-il. Ça fait plusieurs fois que je te vois dans les parages. Tu es toujours entouré de bicyclettes. Tu demeures dans le quartier ?

Je lui explique, sans trop donner de détails, que j'habite au nord de la ville et que je viens parfois jusqu'ici en vélo avec des amis. Il a l'air impressionné par le bicycle. Il tourne autour, m'avoue qu'il a toujours rêvé d'en avoir un. Il aimerait bien l'essayer. Mais si je ne veux pas, ça fait pareil. Il monte sur le siège en s'appuyant sur la clôture pour garder l'équilibre. Il fait semblant de pédaler dans les rues de la ville. La tête penchée en avant, les deux mains sur les poignées, on dirait qu'il descend la côte de la rue Sherbrooke. Il lâche un grand cri : « Ôtez-vous de mon chemin, j'arrive ! » Il a l'air de bien s'amuser. Il s'arrête un moment et me regarde avec un grand sourire.

– Ne crains rien, je ne vais pas te la voler, me lance-t-il en descendant de la bicyclette.

Je me demande si je ne devrais pas lui laisser faire un tour. Ce n'est pas la fin du monde, un petit tour dans le quartier. Philippe ne dira rien. J'aimerais bien aussi qu'Yvon devienne mon ami. Nous venons à peine de nous rencontrer. Je le trouve bien sympathique. Je ne sais pas ce qu'il pense de moi. Avec le temps, nous apprendrons à mieux nous connaître. C'est vrai qu'il demeure loin de chez nous. Mais, à pied, ça peut se faire en moins de vingt minutes.

Je propose donc à Yvon de prendre la bicyclette et d'aller faire un tour, pas trop loin tout de même. J'insiste pour qu'il revienne rapidement, car mon frère peut revenir d'un moment à l'autre. Il a l'air enchanté. Il court à côté du bicycle et, d'un seul bond, saute à califourchon sur le siège.

Je perds Yvon de vue lorsqu'il laisse la rue Ontario et tourne sur Saint-Denis. En fait, il est plus chanceux que moi. Philippe ne m'a jamais laissé monter sur sa bicyclette. Je lui ai demandé plusieurs fois, il me répondait toujours : « Un autre tantôt. » C'est la première fois que je surveille une seule bicyclette ; les autres fois, je devais rester à mon poste et avoir l'œil sur toutes les autres.

Yvon est parti depuis un bon moment. Je commence à m'inquiéter. Pourtant, j'étais prêt à lui faire confiance les yeux fermés. Cela ne veut pas dire qu'il ne reviendra pas ou qu'il a eu un accident. Je me fais souvent du souci pour rien. Depuis que ma mère est malade, je vois tout en noir. Des fois, je pleure en cachette ou je fais une prière. Personne ne me dit jamais rien. Quand mon père rentre de la *shop*, il est toujours fatigué. Il n'a pas le temps de me parler. Philippe passe son temps chez les Dolbec ou au 312. Mon frère dit que je suis trop jeune pour avoir des amis. J'aimerais bien, quand je me sens tout seul, m'asseoir sur le balcon et lire un livre d'aventures. Mais il n'y a pas de livres à la maison.

Voilà Philippe qui sort du 312, la chemise déboutonnée et les cheveux ébouriffés. Je l'attends sur le trottoir. Il s'avance vers moi et me demande sur un ton agacé :

– Où est ma bicyclette ?

J'essaie de lui expliquer que je l'ai prêtée à un ami pour faire un tour. Il me regarde avec des yeux en colère. Il prend une grande respiration et jette un œil autour de lui comme s'il cherchait quelque chose.

– Où est ma bicyclette ? répète-t-il. Je te demande où est ma bicyclette ?

Je reviens sur ce que je lui ai dit en insistant sur le fait que mon ami sera là dans quelques minutes. Philippe lève les bras dans un geste qui me fait peur. Il m'agrippe par le chandail et me pousse sur la clôture de métal. Je ressens une vive douleur au dos. Il m'attire vers lui et me fixe droit dans les yeux. Sa bouche tremble de rage.

– Tabarnac ! Je t'ai payé pour surveiller mon bicycle, dit-il. Puis tu t'en occupes pas ! Tu me fais chier !

Avant même que j'aie le temps de répondre, je me retrouve par terre. Il me donne un coup de pied dans le ventre et deux claques sur la tête. J'essaie de me protéger avec mes bras. Il continue de me frapper avec ses pieds. Je roule sur le trottoir. Tout à coup, j'aperçois une grosse sacoche de femme qui s'abat sur la tête de Philippe. Il recule. Les coups de sac continuent. La femme poursuit mon frère en le frappant.

– Veux-tu bien laisser ce garçon tranquille ? dit-elle. Grand crisse de voyou !

Au même moment, Yvon arrive avec la bicyclette. Mon frère bouscule mon ami et saute sur son vélo.

– Mangez tous de la marde. Et toi, P.-P., tu vas me le payer, crie Philippe en s'enfuyant.

J'ai mal partout. La femme et Yvon m'aident à me relever. Je ne comprends pas ce qui m'arrive. Philippe ne m'a jamais traité de cette façon. Après tout, c'est mon frère, nous couchons dans le même lit, mangeons à la même table. La vie ne sera plus pareille à la maison. Je vais toujours avoir peur de lui. Si je dis à mon père ce qu'il m'a fait, ça va faire de la chicane. Et ma mère qui est malade… Je me sens bien triste. La femme est partie. Je n'ai pas eu le temps de la remercier. Yvon m'aide à marcher.

– Viens à la maison, dit-il. Tu saignes du nez et tu as un coude écorché.

Yvon demeure juste en dessous du 312. C'est un grand logement. Beaucoup plus grand que chez nous. J'ai tout de suite remarqué aussi qu'il avait le téléphone et un frigidaire, comme les Lupien, nos voisins. Ma mère aurait bien aimé avoir le téléphone. Mon père en a fait la demande. Il s'est fait dire que, à cause de la guerre, le téléphone était réservé seulement à ceux qui en avaient absolument besoin. Le père d'Yvon est sûrement plus important qu'un simple inspecteur de la compagnie des tramways. Il est peut-être médecin ou avocat.

Mon ami me conduit dans la cuisine, auprès de la table. Sa mère m'accueille avec un plat à vaisselle plein d'eau chaude, des *plasters*, des bandages, de la ouate et une bouteille de mercurochrome. Elle me soigne comme une vraie infirmière, elle badigeonne de rouge mes bobos et me bourre le nez de ouate pour arrêter le sang. À part mon dos, je me sens déjà un peu mieux.

Soudain, en levant la tête, j'aperçois une fille. Elle semble avoir à peu près mon âge. Je remarque, en premier, ses cheveux frisés, puis sa robe fleurie, ses jambes nues et sa peau grillée par le soleil. Je n'ai jamais vu une aussi belle fille, ni en photo ni dans la vraie vie. J'ai le souffle coupé.

– Je te présente Gabrielle, dit Yvon. Lui, c'est P.-P., un nouvel ami. C'est à cause de moi, s'il s'est fait casser la gueule… pour un simple tour de bicyclette.

– T'as une égratignure au-dessus de l'œil, me lance Gabrielle.

Elle prend un *plaster* sur la table et le colle sur la plaie.

– Avec ça, tu devrais être correct jusqu'à demain, rajoute-t-elle.

Quand elle met les doigts sur mon front, je ne sens même pas le pansement. Ses bras nus frôlent mes cheveux. Elle sent la pluie. Je voudrais dire quelque chose, mais j'en suis incapable. Je dois avoir l'air stupide. Je me lève de table comme si j'avais un *spring* dans mes culottes. Yvon doit penser que je suis complètement sonné. Il m'offre de venir avec moi jusque chez nous. Je fais signe que non et je sors sans dire merci.

Dans le tramway qui me ramène à la maison, j'oublie tout: Philippe, mes bobos, la bagarre, la bicyclette… Je n'ai qu'une seule image en tête: Gabrielle. En plus, elle a les cheveux frisés.

8

Mon père trouve que Philippe vieillit mal. C'est vrai que, depuis quelque temps, mon frère n'est plus le même. À la maison, il passe en coup de vent, sans dire un mot. Si j'ai le malheur d'ouvrir la bouche, il se met à crier pour rien. Alors, je prends mon trou. Je me souviens encore de ce qu'il m'a dit l'autre jour : « … et toi, P.-P., tu vas me le payer ! » Je n'ai encore rien payé. J'ai peur de recevoir une autre raclée. Quand ma mère lui parle, Philippe ne répond pas. Il a toujours l'air en maudit. Je ne sais pas ce qu'il mijote. Le soir, il rentre après minuit et se faufile dans le lit comme un étranger. Je dors nerveusement et je fais des cauchemars. Si ça continue, je vais aller dormir sur le divan, dans le salon.

Mon père travaille fort, et il n'est pas souvent à la maison. Quand il rentre, il est fatigué. La maladie de ma mère le rend nerveux, et je le sens plus impatient que d'habitude. Philippe l'agace. Il sait sûrement des choses que j'ignore. Ça va finir par éclater.

Comme de fait, tout éclate très tôt dimanche matin. Philippe n'est pas venu coucher, et mon père l'attend dans la cuisine.

– D'où viens-tu ? demande mon père.

– J'ai… j'ai… j'étais occupé ailleurs, bégaye Philippe.

– Justement ! Parlons-en de tes occupations. Où as-tu passé la nuit ?

– Chez des amis.

– Menteur ! crie mon père. Ne me prends pas pour un imbécile. Tu arrives de chez Dolbec.

– Comment ça ? se défend Philippe. Tu sais bien que l'épicerie est fermée.

– Oui, mais la bonne femme Dolbec a toujours sa porte ouverte. Tu profites que son mari soit absent pour passer les nuits chez ta patronne. Je te dis tout de suite que je n'endurerai pas ça.

Oh là là ! Ça va barder. Je suis la conversation de ma chambre. Je me lève et j'entrouvre la porte pour ne rien manquer. Je jette un coup d'œil dans la cuisine. Il y a deux bouteilles de bière vides sur la table. Mon père a tanké pour faire face à la musique.

– Et puis après ? lance Philippe. J'ai dix-sept ans. Je fais ce qu'il me plaît.

– Dix-sept ans ! Tu penses que c'est un âge pour jouer au gigolo. Je commence en avoir assez de tes folies. Tu passes tes journées au bordel du 312 et, la nuit, tu couches avec une femme qui a presque mon âge. Et monsieur fait ce qu'il lui plaît ! Eh bien, nous, ta mère et moi, ce n'est pas du tout ce qui nous plaît, si tu veux savoir. Ou bien tu cesses de voir cette femme, ou j'en parle au père Dolbec.

– Je te préviens, menace Philippe en haussant le ton. Ne te mêle pas de ça, sinon…

– Sinon quoi ?

– Tu vas le regretter. C'est tout ce que je peux dire.

– Et puis quoi ? Tu vas t'enrôler dans la marine ? Eh bien, vas-y dans la marine ! Tu vas voir. Tu vas te faire brasser le cul.

Quand ma mère entend le mot « marine », elle se lève. Pieds nus, les cheveux en bataille, elle se dirige vers mon père. Elle a les yeux pleins d'eau. Elle prend mon père par le bras et l'attire dans la chambre. Philippe reste seul dans la cuisine.

– En tout cas, je vous le dis pour la dernière fois. Mêlez-vous de vos crisse d'affaires, crie Philippe.

Il fracasse une des bouteilles de bière vides et sort par la porte arrière. Ouf! J'ai peur que Philippe vienne dans la chambre. Enfin, la chicane est finie. Je me lève et je ramasse les morceaux de bouteille.

Je ne sais pas si Philippe va revenir à la maison. J'aimerais bien qu'il fasse la paix avec mon père. Nous sommes une bien petite famille. Je risque de me retrouver seul avec mes parents. Quand Philippe est là, au moins, ça met de la vie dans la maison. Des fois, il me bourrasse, mais, d'autres fois, il est généreux avec moi. J'aime bien l'accompagner avec sa gang au 312 Ontario pour garder les bicyclettes. Ça me fait un peu d'argent de poche.

Je voudrais bien faire quelque chose pour rafistoler la famille. Après tout, ce n'est pas un gros problème. Si j'ai bien compris, Philippe reste avec madame Dolbec quand son mari est absent parce qu'elle a peur toute seule. Mon père est monté sur ses grands chevaux un peu trop vite, et Philippe a vraiment été impoli. Si je parle à mon père, il ne va pas m'écouter; de toute façon, je ne sais pas quoi lui dire. Avec Philippe, il faut que je sois prudent. Il m'a promis une raclée, et je ne l'ai pas encore reçue. Par contre, à lui, je sais quoi lui dire. C'est bien simple: il vient coucher à la maison comme d'habitude, et la nuit venue, sur le bout des pieds, il se lève et file chez les Dolbec. Moi, je ne dis rien. Au contraire, je suis prêt à jurer que Philippe n'a pas quitté la chambre de la nuit. Et le matin, pas de problème: il est toujours à l'épicerie avant que mes parents soient debout. Sauf le dimanche matin, quand l'épicerie est fermée, mais je trouverai une autre façon de le protéger. Bien sûr, ce truc s'applique seulement lorsque le père Dolbec est absent.

Je pars à la recherche de Philippe. Il ne doit pas être allé bien loin. Sa bicyclette est toujours dans le hangar, derrière la maison. L'idée me vient de prendre son bicycle. Ce n'est pas une bonne idée. Il est trop de mauvaise humeur.

Je passe devant l'épicerie. Je regarde par la vitrine, il n'y a personne. J'arrête chez Uzéreau. Michel, le patron, n'a pas vu Philippe depuis quelques jours. Le vieux snoreau a l'air au courant des habitudes de mon frère. Il me pose des tas de questions au sujet de madame Dolbec. Je préfère ne pas lui répondre. Même si je lui explique que Philippe s'intéresse à la mère Dolbec uniquement pour lui rendre service quand elle est seule, il ne va pas me croire. Je le connais, c'est un vieux «fouineux». Il a toujours le nez dans les affaires des autres.

J'arpente toutes les rues du quartier, le parc Saint-Michel, le parc en face de l'église et tous les restaurants des alentours. Le Café Rector n'ouvre qu'à six heures, et les tavernes sont fermées le dimanche. Je sais que Philippe aime bien, les jours de congé, louer une chaloupe au parc La Fontaine. Mais c'est trop loin à pied, et je garde mes billets de tramway pour aller chez mon ami Yvon (en fait, c'est surtout pour voir Gabrielle). D'ailleurs, il commence à pleuvoir. Je vais l'attendre. Il finira bien par revenir dans le coin.

Comme je traverse la rue, devant chez moi, Poil-Blanc me coupe le chemin avec une grosse bicyclette pour la livraison.

– Monte, dit-il, je vais te faire faire un tour dans le panier.

Je lui demande s'il veut que je l'accompagne au 312 Ontario. Pour cinq sous, je pourrais garder son bicycle. En ce moment, j'ai besoin d'argent de poche.

– Non, laisse faire, j'en arrive, me répond-il.

Dans ce cas-là, je me dis que Philippe ne doit pas être loin. J'en profite pour demander à Poil-Blanc s'il sait où est mon frère.

– Il est au local des Chevaliers de Colomb, en haut de la taverne Caprice. Salut, à la prochaine !

C'est bien trop vrai ! Chez les Chevaliers de Colomb, c'est le seul endroit où on peut boire de la bière le dimanche. J'espère juste que Philippe n'en a pas trop bu. Ce n'est déjà pas facile de lui parler quand il est à jeun, avec quelques bouteilles dans le nez, c'est tout un contrat.

J'attends, sous la pluie, à la porte du local des Chevaliers. Je ne peux pas entrer, je suis trop jeune. Et c'est important que je parle à Philippe. Je suis prêt à attendre le temps qu'il faut. Tout à coup, j'aperçois le boulanger Durivage qui sort du local. C'est lui qui livre le pain à l'épicerie Dolbec. Il doit bien connaître mon frère. Je le prie, très poliment, de faire venir Philippe Dubois à la porte. Quelqu'un veut lui parler. Le boulanger ne me demande pas mon nom. Il m'a sans doute reconnu. C'est surprenant !

Au bout d'un moment, Philippe me rejoint. Il a l'air légèrement amoché. Je lui avoue que j'ai assisté à l'engueulade avec notre père. Et aussi que je suis bien triste depuis qu'il a quitté la maison. Il m'écoute sans rien dire. Je prends mon courage à deux mains et je lui explique mon plan. Je le rassure. Je suis prêt à tout pour le couvrir. Personne n'en saura jamais rien.

– Laisse tomber, lâche-t-il. Ne te mêle pas de ça. C'est un problème entre moi et le vieux.

Pourtant, c'était une bonne idée. Je lui propose, à la fin, de parler au « vieux », comme il dit.

– Surtout pas ! Il ne t'écoutera même pas. C'est un vieux toqué. Rentre à la maison et oublie ça. C'est une affaire d'adultes. Tu es trop jeune pour comprendre.

Philippe me donne une tape sur l'épaule et retourne boire sa bière chez les Chevaliers de Colomb.

Ce n'est pas parce que je suis jeune que je ne peux pas aider ceux que j'aime. Ils oublient que leurs problèmes me touchent aussi. Je vis dans la même maison. Je suis obligé de me cacher pour pleurer. Même quand je prie pour eux en cachette, ça ne change rien. Je comprends que les prières d'un jeune ne voyagent pas en première classe. Mais je ne peux pas vieillir plus qu'une année à la fois. Si la guerre peut durer assez longtemps, je m'enrôlerai dans la marine. Je pourrai faire quelque chose de plus utile que de garder les bicyclettes au 312 Ontario.

9

Je n'ai plus d'argent de poche, mais il me reste encore six billets de tramway. C'est tout ce qu'il me faut pour aller retrouver Yvon. Je n'ai vu Yvon qu'une seule fois et j'en fais déjà mon ami. Je m'excite un peu. Je ne sais pas si lui me considère comme son ami. S'il faut que je sois totalement honnête, je dirai que je suis surtout attiré par Gabrielle, la sœur d'Yvon. Je pense à elle tout le temps. Si je veux continuer à la voir, il faut que je me fasse ami avec Yvon. Ça ne veut pas dire que je me sers de lui pour fréquenter sa sœur. Pantoute ! Yvon est un gars sympathique. Quand Philippe m'a donné une volée, il s'est occupé de moi, m'a invité chez lui et c'est lui qui m'a présenté Gabrielle. Il n'était pas obligé. Je crois que nous allons bien nous entendre tous les deux.

Quand je pense à tout ce qui se passe à la maison, j'ai grandement besoin d'un ami. Henri-François Otorino est de moins en moins mon ami depuis qu'il suit des cours d'anglais et des leçons de piano. Il y a mes camarades de classe, mais, durant les vacances d'été, je suis tout seul. Mon frère et sa gang sont beaucoup plus vieux que moi. À force de me tenir avec Philippe, je n'arrive pas à me faire des copains de mon âge. D'ailleurs, il me l'a dit l'autre jour : « Tu es trop jeune pour avoir des amis. »

Des fois, je me demande si je ne suis pas un peu sauvage. Au fond, si Gabrielle voulait être mon amie, je pense que je pourrais me passer des autres. Quand je pense à cette fille, la tête me tourne. Ça me chicote. Si elle ne veut rien savoir de moi, je vais me retrouver avec une tristesse de plus. C'est vrai qu'elle est belle, avec ses cheveux frisés. D'autres garçons de mon âge doivent lui courir après. Je ne la connais pas assez pour savoir quoi faire afin qu'elle s'intéresse à moi. Je compte sur Yvon pour m'aider. Après tout, je lui ai laissé faire un tour de bicyclette. Et j'ai payé le gros prix.

J'arrive en face du 312 Ontario vers cinq heures de l'après-midi. Des hommes montent et descendent l'escalier, des taxis attendent leurs clients, deux policiers surveillent de l'autre côté de la rue et une jeep de l'armée est remplie de soldats. Mais, au 306, juste sous l'escalier, où j'ai aperçu Yvon pour la première fois, c'est bien tranquille. Ils doivent être sortis. Je ne vais pas rester là. Un gardien de bicyclettes sans bicycles! J'ai l'air de quoi? Surtout que les deux policiers, de l'autre côté de la rue, sont ceux qui m'ont abordé il y a quelque temps. Ils m'ont sûrement reconnu. Ils vont encore venir me poser des questions. Je marche jusqu'au coin de la rue Saint-Denis. De là, j'observe les alentours du 312 et du 306. Si j'aperçois Yvon, je me présente.

Derrière moi, une femme me prend par les épaules et me tourne vers elle.

– Dis donc! C'est le ti-cul que j'ai sauvé en train de se faire donner une volée, lance-t-elle. Comment ça va? Qu'est-ce que tu fais au coin de la rue? Cherches-tu la bataille?

Sur le coup, je ne reconnais pas la femme. En fait, je ne l'avais pas vue de proche, la première fois. Elle me reconnaît. C'est donc elle qui donnait des coups de sacoche à Philippe. Je lui dis que je suis venu voir mon ami Yvon qui demeure au 306.

– Yvon Landreville ! Tu le connais ? Je suis une amie de la famille. J'aurais bien aimé t'aider, l'autre jour, mais j'étais pressée. J'ai su qu'ils t'avaient bien soigné. C'est du bien bon monde, les Landreville.

J'explique à la femme que je suis passé devant chez Yvon, mais que je n'ai vu personne.

– Ils sont sûrement chez eux. D'habitude, quand il fait chaud, ils vont s'asseoir sur la galerie en arrière. C'est pour ça que tu ne les as pas vus. Viens avec moi, nous allons leur rendre visite.

Elle me prend par la main. C'est une belle femme, mais j'aurais du mal à deviner son âge. Elle est trop maquillée. Elle est grande et semble bien portante. Je ne sais pas pourquoi je pense, un instant, à ma mère. J'aimerais qu'elle soit bien portante. Depuis sa maladie, elle ne sort plus. Elle ne me prend jamais par la main.

Nous arrivons devant le 306 Ontario. J'ai le cœur qui bat. Il bat surtout à cause de Gabrielle. Je me demande ce qu'elle va penser en me voyant. Va-t-elle croire que je reviens uniquement pour la voir ? Va-t-elle deviner que je pense souvent à elle ? Elle m'a peut-être déjà oublié. Et Yvon ? Est-il toujours mon ami ? Toutes ces questions me mettent à l'envers.

– Qu'est-ce que tu as à trembler ? demande la femme. Tu as toutes les mains mouillées. Ça ne va pas ?

Je lâche sa main. Je lui réponds que tout va bien. Je lui souris en expliquant que je transpire beaucoup quand il fait chaud. J'ai envie de pousser ma menterie un peu plus loin et lui dire que je souffre de fièvre depuis trois jours, et que c'est pour ça que mes mains sont mouillées. Je n'ai pas le courage de raconter une histoire pareille. De toute façon, elle ne m'en laisse pas le temps.

– Tout le monde est là, lance la femme en me poussant devant elle dans la maison des Landreville. Je vous ramène un éclopé. Je l'ai trouvé alors qu'il traînait dans la rue.

Yvon et sa mère m'accueillent, sans surprise, comme s'ils m'attendaient depuis des jours. Je regarde tout de suite autour pour m'assurer de la présence de Gabrielle. Je ne la vois pas. Madame Landreville me passe la main dans les cheveux et me sourit. C'est une grosse femme. Elle porte un long tablier qui lui descend jusqu'aux chevilles. Elle se déplace difficilement à cause de ses jambes très enflées.

– Viens t'asseoir, Dora, dit la mère d'Yvon en s'adressant à la femme qui m'a amené jusqu'ici. Veux-tu une bonne bière froide ?

– Pas trop froide, répond Dora. J'aime mieux une tablette.

Pendant ce temps, Yvon me fait visiter sa chambre. Elle est plus grande que la mienne. Ce n'est pas tout : il y a une grande commode (donc, pas de boîtes en dessous du lit), des rideaux à la fenêtre, de la tapisserie fleurie sur les murs, une garde-robe, pas de compteur à gaz et un lit simple, pour lui tout seul. Je suis impressionné. Sur une étagère, j'aperçois une belle collection de soldats de plomb. J'ai toujours rêvé d'en avoir des pareils. Je les contemple avec envie.

– C'est Dora qui me les a achetés, dit Yvon. Presque chaque fois qu'elle vient à la maison, elle m'apporte une nouvelle pièce. Hier, elle m'a offert ce beau tank. Tu veux qu'on joue à la guerre ?

Yvon installe toute sa collection sur le plancher : des fantassins, des francs-tireurs, des camions, des bicycles à gaz, des *side-cars*, et des soldats qui se préparent à lancer des grenades. Je ne sais pas comment on peut jouer à la vraie guerre, car il n'y a pas de soldats allemands. Mais c'est Yvon qui dirige le jeu, et je ne l'obstine pas.

J'aimerais prendre des nouvelles de Gabrielle, mais je n'ose pas. J'ai peur qu'il pense que je suis venu surtout pour elle. Même si c'est vrai, il ne faut rien laisser voir. J'aurai toujours besoin de lui comme excuse, surtout au début. Je sais que ce n'est pas très gentil pour Yvon. Mais si Gabrielle ne s'intéresse pas à moi, je continuerai à voir mon ami quand même.

Dora entrouvre la porte de la chambre et nous dit :

– Les gars, je vous invite. On va manger un bon spaghetti chez Géracimo.

Je ne sais pas qui est Géracimo. Yvon est bien content de l'invitation et saute au cou de Dora pour l'embrasser. Je ne peux pas en faire autant. Je ne la connais pas depuis assez longtemps. De plus, je ne comprends pas qu'elle m'invite avec Yvon. Après tout, je ne suis que de passage. Je ne fais pas partie de la famille. J'ai un peu l'air de m'imposer, et cela me gêne. Je laisse savoir à Dora que je dois rentrer chez moi. Elle insiste pour que je l'accompagne. Yvon ajoute :

– Ne fais pas le fou ! Tu vas pas le regretter. On va se bourrer comme des cochons.

Je ne suis pas venu ici pour me bourrer. Mais, s'il le faut, je veux bien. Surtout que j'aime le spaghetti. C'est meilleur que le boudin de pépé Thouin. La seule chose qui m'embête par-dessus tout, c'est que je ne peux pas prévenir ma mère que je n'irai pas souper. Nous n'avons pas le téléphone. Elle va peut-être s'inquiéter. Je demande à madame Landreville si elle veut bien téléphoner au numéro « Dollard 2618 » et dire à madame Lupien d'avertir ma mère que je ne serai pas là pour souper.

– Où est Gabrielle ? interroge Dora. Nous aurions pu l'emmener avec nous chez Géracimo.

– Elle est au camp de jour des Guides, répond madame Landreville.

Bravo ! Je sais maintenant où elle passe ses journées. Il ne me reste plus qu'à trouver l'endroit. Et une bonne raison pour expliquer ma venue dans ce camp. Le seul problème : elle ne m'a vu qu'une seule fois, et je ne suis pas certain qu'elle me reconnaîtra si je m'adresse à elle. La seule solution : me faire accompagner par Yvon. Je ne sais pas s'il va vouloir.

Géracimo, c'est un grand restaurant. Il fait chaud, et ça sent la sauce tomate. Il y a beaucoup de monde. Dora doit venir souvent ici. Un chauffeur de taxi, des policiers, des clients et un officier de l'armée viennent la saluer. Tous ces gens nous regardent, moi et Yvon, et ils ont l'air de se demander ce que nous faisons là. J'ai envie de leur crier : « Nous sommes venus manger du spaghetti, c'est pas de vos affaires ! »

Dora a tout payé. Elle doit avoir beaucoup d'argent. Elle nous a même offert de prendre du dessert. Quand j'ai vu qu'Yvon refusait, je n'ai pas osé. Je le regrette. Il y avait du gâteau au chocolat.

Avant de partir, Dora nous remet à chacun un paquet de cartes.

– Voilà, les gars, une bonne façon de vous faire de l'argent, dit-elle en nous glissant à chacun un billet de un dollar. Tout ce que vous avez à faire, c'est de vous promener dans le port de Montréal, au parc La Fontaine et dans les rues du quartier. Vous distribuez ces cartes aux chauffeurs de taxi, aux hommes, jeunes de préférence, et aux militaires que vous rencontrez. Ne donnez pas d'explications. Ils comprendront. Je vous donnerai, en plus, cinquante sous pour chaque paquet de cartes que vous distribuerez.

Il y a deux sortes de cartes dans le paquet : sur les unes, c'est écrit au milieu de la carte : « RING THE BELL » et, en dessous, « 163-173 Du Marais, Montréal ». Sur les autres, je lis : « MISS DORA » et, plus bas, « 312 Ontario Est, Montréal ». C'est tout. Yvon me regarde.

– Qu'en penses-tu ? me demande-t-il.

J’en pense rien. Je lui fais signe que je suis d’accord. Je trouve le projet plus payant et moins fatigant que de garder des bicyclettes.

10

Quand j'ai demandé à Yvon de venir avec moi au camp de jour des Guides, il m'a répondu: « T'es malade, que veux-tu qu'on fasse là ? » Il n'a pas voulu me dire non plus où était le camp. Je fais mieux de ne pas insister. Je dois me montrer prudent. Je ne veux pas que ma folie pour Gabrielle soit trop visible. Yvon et sa mère vont me trouver fatigant. Le camp de jour finira un jour. J'aurai d'autres occasions de l'approcher, de lui parler. J'ai rencontré Gabrielle il y a déjà douze jours (je les ai comptés) et, depuis, je n'ai pas eu la chance, une seule fois, de la voir. Il faut que je continue d'être patient.

Hier, Yvon et moi avons passé tout l'après-midi et le début de soirée à distribuer des cartes dans le port de Montréal. J'ai mis de côté les cartes « RING THE BELL ». J'ai surtout distribué celles de « MISS DORA ». J'aime bien Dora. Elle est généreuse et sympathique. Si je lui parle, j'ai du mal à la regarder dans les yeux (elle est tellement grande). Alors, elle passe ses doigts sous mon menton et me relève la tête en disant: « Regarde-moi dans les yeux, petit. » Je n'aime pas qu'elle m'appelle « petit ». Ça fait plusieurs fois que je lui dis que je m'appelle P.-P. Elle finira bien par s'en souvenir.

J'ai rendez-vous avec Yvon, chez lui, à deux heures cet après-midi. Je suis très excité. Je vais peut-être voir Gabrielle, si ce maudit camp de jour peut finir. Yvon me conseille d'arriver par l'arrière de la maison, en passant par la ruelle. La maison est faite sur le long, et la cuisine donne sur la cour arrière. Si je sonne en avant, au 306 Ontario, madame Landreville, quand elle est dans la cuisine, a beaucoup de mal à venir répondre à cause de ses jambes.

Première chose en ouvrant la porte de *screen*: je cherche Gabrielle du coin de l'œil. Je ne la vois pas. Franchement, je ne suis pas chanceux. C'est à se demander si elle habite encore chez ses parents. Yvon est là. Nous passons dans sa chambre. Il me remet un nouveau paquet de cartes à distribuer et les cinquante sous que Dora a promis. Yvon prévoit une longue journée de distribution. Destination: le parc La Fontaine.

– Il faut distribuer le plus de cartes possible, dit-il, si nous voulons faire un peu d'argent.

Je suis d'accord. À ce prix-là, je suis prêt à distribuer, jour et nuit, tout ce que Dora veut. Comme nous avons beaucoup d'argent de poche, nous allons manger un hot-dog et boire un *milk-shake* au chocolat chez Kresge's. Je profite de ce moment de satisfaction, une fois le ventre bien rempli, pour éclaircir des questions qui me chicotent depuis plusieurs jours. Qui est Dora? Est-elle parente avec la famille d'Yvon? Où travaille-t-elle? Que fait-elle au 312 Ontario? Ça tombe bien, Yvon est d'humeur à parler.

– Je connais Dora depuis toujours, dit-il. Je ne sais pas au juste si elle est une simple amie ou une petite cousine de ma mère. Je sais seulement qu'elle vient chez nous tous les jours. Je l'aime beaucoup, parce qu'elle me donne des cadeaux, pas seulement à mon anniversaire ou à Noël, mais n'importe quand. Des fois, on dirait qu'elle habite au-dessus, au 312; des fois, on dirait qu'elle habite ailleurs et qu'elle vient travailler au 312. À la maison, c'est entendu, on ne parle jamais du travail de Dora ni de ce qu'elle fait pour gagner sa vie. Je lui ai déjà demandé si elle avait un chum, et elle m'a répondu: «Tiens ça mort! C'est toi, mon chum.» Alors, j'ai compris qu'elle ne voulait pas parler de sa vie privée. C'est sûr qu'elle connaît beaucoup de monde et qu'elle passe beaucoup de temps au 312. Une fois, je l'ai entendu dire qu'elle était fatiguée de la gang du 312 et qu'elle aimerait bien être danseuse. Maintenant, je n'en sais pas plus. De toute façon, on ne me dit rien et je ne pose pas de questions.

Je raconte à Yvon que, dans mon cas, c'est la même chose. Les gens me parlent uniquement quand ils n'ont rien à dire. J'ai toujours l'air de les embêter. Malgré tout, je suis curieux. Quand j'ai questionné Yvon au sujet du 312, il est resté dans le vague.

– Je ne sais pas trop ce qui se passe au-dessus de chez nous, dit-il. Il arrive que Dora en parle avec ma mère, mais, chaque fois, on me demande de m'en aller dans ma chambre.

J'aurais aimé lui poser des questions au sujet de Gabrielle. Ce sera pour une autre fois. Je l'ai assez questionné pour aujourd'hui.

Nous arrivons au parc La Fontaine, en fin d'après-midi. Il fait tellement chaud que les canards de l'étang plongent la tête dans l'eau pour se rafraîchir. J'ai encore dans ma poche un morceau de pain de mon hot-dog. Je le garde pour l'ours noir du zoo. J'approche de la cage et je tends le morceau de pain. J'ai tellement peur que l'ours me morde les doigts que j'échappe son lunch. Yvon rit de moi. Je crois qu'il n'aime pas les animaux.

De l'autre côté du parc, sur le terrain de base-ball, l'armée a construit un superbe décor. C'est une représentation d'un quartier de Londres en ruine, après un bombardement allemand. Je le sais parce que c'est écrit sur une affiche. Tout autour se tiennent des soldats déguisés en pompier. Il y a même de la fumée qui s'échappe du décor.

Yvon a déjà commencé à distribuer ses cartes. Moi, je traîne dans les rues de Londres. J'imagine un bombardement dans notre quartier. Je vois la maison, chez nous, celle des Lupien, le gros Roma coincé dans les décombres, puis la famille Chartrand complètement disparue. J'aimerais bien être certain que les Allemands ne viendront pas nous bombarder.

– Qu'est-ce que tu fais? me lance Yvon. Il faut distribuer nos cartes pendant qu'il y a du monde.

Je suis mon ami qui se dirige vers un attroupement de soldats se préparant, semble-t-il, à parader dans les rues autour du parc. Un grand kiosque est surmonté d'une banderole où il est écrit: « ENRÔLEZ-VOUS TOUT DE SUITE – SAUVONS LE MONDE DES FOLIES D'HITLER ». Sur une autre banderole, c'est écrit en anglais. Mais je ne comprends pas. J'imagine que ça veut dire la même chose.

Je n'aurai pas de misère à écouler mon paquet de cartes. Il y a des soldats partout. Yvon se met à courir à gauche et à droite pour attraper des chauffeurs de taxi à qui il offre des cartes. Je suis plus discret. Je reste sur place et j'attends que les gens s'approchent. Un officier me surprend par l'arrière et me donne un petit coup de badine sur l'épaule.

– Qu'est-ce que tu distribues comme ça? me demande-t-il.

Je lui dis que c'est gratuit (je ne savais pas quoi répondre), puis je lui explique que ce sont des « cartes d'affaires ».

– Quelles sortes d'affaires? Laisse-moi voir un peu ces cartes.

L'officier n'a pas l'air surpris en lisant ce qui est écrit. Il doit connaître Dora. Pendant ce temps, Yvon me rejoint. L'officier demande à mon ami s'il distribue les mêmes cartes. Pendant qu'ils discutent tous les deux, je m'éloigne tranquillement. L'officier me crie :

– Pas trop loin, le jeune ! Viens ici. Je veux te parler.

Le militaire nous conduit, Yvon et moi, dans une belle tente blanche, gardée par deux soldats en uniforme kaki et blanc. Au fond, un vieux soldat à moustache est assis à une table. L'officier qui nous a arrêtés s'avance et le salue en faisant claquer les talons de ses bottes.

– Mon général, j'ai surpris ces deux gamins en train de distribuer des obscénités aux soldats.

Des quoi… ? Des « obscénités » ! Je pensais que c'étaient des cartes. Si le général me donne la parole, je vais lui expliquer comment nous en sommes arrivés là. C'est pas compliqué. Je lève la main pour parler (comme à l'école). Le général ne me regarde même pas.

– Les jeunes, je vais devoir vous remettre entre les mains de la police, dit le moustachu. Vous avez commis un acte illégal. Vous serez accusés de racolage et de sollicitation interdite dans un endroit public.

J'entends pour la première fois des mots comme « racolage » et « obscénité ». C'est sans doute un code militaire. Enfin, le général me laisse la parole. Je lui explique que si je vais en prison, ma mère va sûrement en mourir, car elle est très malade.

– Aimerais-tu mieux faire la guerre ? interroge le général. Je peux t'enrôler aujourd'hui même.

Il est fou, le moustachu ! Je lui explique que je suis trop jeune et que je commence ma sixième année d'école, en septembre. Si, dans quelques années, la guerre n'est pas finie, j'irai peut-être. J'ajoute, pour faire bonne figure, que j'ai un frère qui a l'âge requis. Il serait intéressé à s'enrôler à condition que ce soit dans la marine. Yvon ne dit rien.

– C'est assez ! lance sèchement l'officier. Des policiers militaires vont vous remettre entre les mains de la police locale.

Deux soldats nous escortent jusqu'à une jeep blanche stationnée devant la tente. Des dizaines de personnes nous observent. Nous montons en voiture et traversons le parc La Fontaine à toute vitesse. J'ai dit au général que ma mère allait mourir si je me retrouve en prison, mais, en ce moment, je pense à mon père. Il ne va pas en mourir, mais je vais en manger une maudite. Le chauffeur de la jeep veut savoir où nous demeurons. C'est Yvon qui répond :

– Rue Ontario, près de Saint-Denis.

La jeep s'arrête au poste de police nº 4, rue Ontario, en face du 312. Quand Gabrielle va apprendre que j'ai été arrêté pour « obésité » et « ramonage », elle ne voudra jamais plus me parler. Je ne pourrai plus mettre les pieds chez les Landreville. Dora aussi va être furieuse.

Le chauffeur nous prie de descendre de la jeep. Ouf ! J'ai chaud. Je n'ai jamais été dans un poste de police. Mais les gars de la gang à Philippe sont tous passés par là. Une fois, j'ai entendu Firmus Lorrain dire qu'il y avait des machines à torture dans les postes. Les policiers vont s'apercevoir, s'ils me torturent, que je peux crier fort en maudit.

– Les jeunes, dit le chauffeur en uniforme, vous avez le choix : ou je vous conduis au poste, ou vous courez jusque chez vous, et ce, à condition que vous ne mettiez plus les pieds au parc La Fontaine.

Tu parles ! Je cours encore plus vite qu'Yvon. Le parc La Fontaine, je peux m'en passer facilement. Maintenant, j'espère qu'ils ne vont pas vérifier si je reste au 306 Ontario. En tout cas, chez les Landreville, je me sens en sécurité.

Yvon m'offre un grand verre de Jumbo à l'orange. Ce n'est pas ma boisson préférée, mais, après la course que je viens de faire, c'est quand même rafraîchissant. Tout à coup, au fond de la cuisine, j'aperçois Gabrielle qui sort de la salle de bain. Elle est enveloppée dans une grande serviette en ratine. Ses cheveux sont plus frisés que d'habitude. J'en ai le souffle coupé. Je la salue de la tête. Elle me sourit. C'est un bon début.

11

Gabrielle occupe tous les étages de ma pensée. Mon cœur se gonfle, mon cœur se dégonfle, je suis bien, je suis mal, elle est toujours là. C'est pas reposant. Je suis obligé de faire un effort pour me distraire: le plus souvent, je ne sais pas comment faire. Pourtant, je sais qu'il y a d'autres choses dans la vie de tous les jours, des choses qui dérangent, des choses qui s'arrangent. C'est bien rare que je dérange les autres, puis on ne compte jamais sur moi pour arranger les choses. La preuve: je rentre à l'heure du souper et je tombe sur une réunion de famille, toute la famille sauf moi. C'est comme ça que les choses s'arrangent.

Sont attablés dans la cuisine: mon père, ma mère, Philippe et pépé Thouin… Je passe inaperçu. Je file dans ma chambre. Je laisse la porte à moitié ouverte afin d'écouter ce qui se passe. J'oublie Gabrielle pour un moment. Dans la vie, il n'y a pas que les filles.

– Pour le moment, dit mon père, je suis prêt à passer l'éponge. Et toi, Philippe, en retour, tu vas te montrer raisonnable. Tu vas te comporter d'une façon normale. Tu vas bientôt avoir dix-huit ans. Tu n'es plus un enfant. Si tu veux être traité en adulte, tu vas agir en adulte. À compter d'aujourd'hui, ta mère et moi te faisons confiance. Conduis-toi en conséquence.

– Eh bien, Philippe, qu'en dis-tu? demande pépé Léon

– C'est correct! ajoute Philippe. Je vais faire attention.

– Surveille surtout tes fréquentations, dit ma mère. Pense aussi à ton jeune frère. Tu es son idéal. C'est encore un enfant. Organise-toi pour ne pas le décevoir.

Enfin, il est question de moi. Donc, j'existe. Je suis encore un enfant, ça, je le savais. Philippe est-il mon idéal? Ça dépend des jours. Des fois, il est gentil, il s'occupe de moi, il me donne des sous, il me parle gentiment et il prend ma défense si quelqu'un veut me faire mal..., c'est parfait. Quand il me traite de bébé la la, qu'il me tape dessus ou qu'il m'envoie chier..., ce n'est plus mon idéal. C'est un gars comme les autres.

– Je veux que ça soit bien clair: tu laisses la mère Dolbec tranquille, dit mon père.

– C'est réglé, lance Philippe. N'en parlons plus.

Tiens, le bonhomme Dolbec doit être revenu à l'épicerie. Il commence à être temps. Sa femme n'aura plus peur de dormir seule la nuit.

– Je suis contente de te l'entendre dire, ajoute ma mère. Je commençais à trouver ça malsain.

– Afin de montrer ta bonne volonté, enchaîne mon père, as-tu pensé à payer une pension?

– Ça aussi, c'est réglé. Je vais payer deux piastres par semaine.

Ma mère intervient aussitôt.

– C'est peut-être pas nécessaire...

– Allons, allons, Jeanne! Deux piastres, c'est pas la fin du monde, réplique pépé. Tu es capable de te le permettre, Philippe?

– Pas de problèmes! Je fais un assez bon salaire.

– Et ton intention de t'enrôler dans la marine?... demande ma mère.

– C'est une farce. Je n'ai jamais eu envie d'aller me faire tuer à la guerre.

– Tout est beau qui finit bien, lance pépé Thouin en guise de conclusion. J'ai apporté un cruchon de vin Saint-Georges. Jeanne, sort les verres, on va fêter ça !

Pendant que tout le monde fête, je reste seul dans mon coin, à me réjouir de ce qui arrive. Philippe va reprendre sa place à la maison. C'est le plus important. Il est d'accord avec tout ce que mon père lui demande. Mais pour combien de temps ? Je ne veux pas être pessimiste, mais Philippe a la tête dure et il fait toujours à sa tête. Ça va donc être dur. C'est vrai que je n'ai pas assisté au début de la conversation. J'ai idée que pépé Léon a dû s'en mêler.

Philippe avait l'air sincère, au moins sur un point. Il va payer deux piastres de pension par semaine. Ce qui veut dire une visite de moins par semaine au 312. C'est ma mère qui va être contente. Deux piastres, c'est le montant qu'elle paye au boucher Benny's chaque semaine pour son paquet de viande préemballée. On trouve de tout, dans ce paquet. Chaque semaine, c'est une surprise : ou de la viande hachée, ou de la saucisse, ou des côtelettes, ou une langue de bœuf… ou quoi encore. J'adore l'ouvrir une fois à la maison. Juste pour m'assurer qu'il n'y a pas de boudin (je laisse ça à pépé) ou de la « forsure ».

Je n'ai pas participé à l'entente intervenue entre Philippe et mon père. Je n'ai pas fêté au vin Saint-Georges, non plus. Donc, que mon père ne compte pas trop sur moi pour surveiller Philippe. Je ne *stoole* jamais personne, surtout pas mon frère.

Enfin, une bonne chose de réglée. On va vivre en paix.

J'ai mal aux dents depuis deux jours. Philippe me taquine. Il dit qu'« avoir mal aux dents est une preuve qu'on est en amour». Je ne sais pas d'où il le sort. Il n'est pas au courant de mon histoire avec Gabrielle. Il devine.

J'arrive chez le dentiste Breault très tôt le matin. Je n'ai pas le choix, car à midi, il est déjà soûl. Même à jeun, il sent la tonne. Il m'examine la bouche avec son maudit crochet de métal.

– Il va falloir enlever au moins deux ou trois dents, dit le dentiste.

Je lui fais savoir que j'aimerais mieux qu'il répare mes dents. Je ne veux pas me les faire arracher. Je ne m'imagine pas avec une bouche pleine de trous.

– Tes dents vont toutes pourrir avec le temps. Tu serais bien mieux de te les faire arracher. Je vais te mouler un beau dentier, et tu n'auras jamais plus de problèmes.

Un dentier, pouah ! La mère de Roma, la voisine, en a un. Il ballotte quand elle parle et bascule quand elle éternue. Si un jour je perds mon dentier au moment d'embrasser une fille… quel malheur ! Que va dire Gabrielle si elle s'aperçoit qu'il me manque des dents ? Elle ne voudra jamais m'embrasser. Je reviens à la charge et demande au dentiste de me plomber la dent qui me fait souffrir et d'oublier le reste.

– Impossible ce matin, me répond-il. J'ai trop de travail. Plomber des dents, c'est long. Et puis ce n'est pas le même prix que de les arracher. C'est trois fois plus cher. Il faut revenir demain, en fin d'après-midi.

Non merci ! À cette heure, il sera complètement soûl. Je quitte la salle du dentiste avec mon mal de dents. De retour à la maison, je prends deux aspirines, mets un sac de glace sur ma joue et me couche en pleurant. Ô Gabrielle ! Où es-tu ? Je souffre (comme dit Philippe) du mal d'amour. Plus je pense à toi, plus je sens que tu es loin. Je ne sais pas comment te parler, comment te dire ce que je ressens. Je ne sais même pas si tu es prête à m'écouter. Je ne suis pas audacieux et je me sens maladroit quand je t'approche. Je suis douillet et pleurnichard. C'est pas encourageant. Si c'est mieux pour toi, je suis prêt à ne plus te revoir. Je sais que ce sera plus douloureux qu'un mal de dents, mais avec le temps peut-être que…

– Pour l'amour du ciel! Qu'est-ce qui se passe? demande ma mère alertée par mes gémissements.

Évidemment, je ne lui dis rien de mes lamentations au sujet de Gabrielle. Je lui raconte que le dentiste Breault veut m'enlever toutes mes dents et me faire un dentier. En attendant, j'endure mon mal.

– Ce n'est pas une solution, ajoute ma mère. Il faut te faire plomber les dents cariées. Pas question de te faire arracher une seule dent.

Je rappelle à ma mère que Breault n'est pas intéressé par les plombages. Ça prend trop de temps. Et ça coûte beaucoup plus cher que se laisser arracher les dents.

– Je m'en occupe. Le frère de madame Lupien est dentiste. Je vais avoir un rendez-vous pour toi.

Ma mère descend chez les Lupien. En attendant, je fouille dans l'armoire à médicaments. J'avais complètement oublié le parégorique. Il en traîne toujours une bouteille dans la maison. Je ne suis pas seul à souffrir du mal de dents. Le parégorique est un remède miracle. J'en mets abondamment sur la gencive et j'en bois un petit peu. Je me sens déjà mieux. Je vois même des petits éléphants roses qui jouent dans la fenêtre de ma chambre. Ça me fait un drôle d'effet.

Ma mère revient de chez Lupien et dit de me préparer. Le dentiste Filiatreault m'attend. Elle s'avance vers moi, une enveloppe blanche dans une main, un billet de dix dollars dans l'autre. Je vois tout de suite qu'elle a fouillé dans la réserve de pépé Léon. Pourquoi prend-elle cet argent pour réparer des dents pourries? Elle pourrait le garder pour elle. Je me sens gêné.

– Voici l'adresse, dit-elle en me glissant un bout de papier griffonné et deux billets de tramway. L'argent, c'est pour les plombages. S'il en reste, tu le rapportes.

Me voilà parti. Le parégorique fait toujours son effet. J'ai un mal de dents qui a presque disparu et la tête qui tourne. Au fond de ma poche, un beau dix piastres que je chiffonne.

12

Le cousin Victor nous visite depuis quelques jours. Il est étudiant au Grand séminaire de Trois-Rivières. Je crois qu'il veut devenir prêtre. Il en faut au moins un dans la famille. Chaque année, à la fin août, il prend une semaine de vacances, à Montréal. Le premier jour, il laisse tomber la soutane, cesse de se raser la tonsure et accompagne Philippe à la taverne Caprice. Les autres jours, il visite l'oratoire Saint-Joseph, le Musée de cire, le parc Belmont et l'église Notre-Dame. À la maison, il couche dans le couloir, au bout de la cuisine. Il n'y a pas d'autre place. Ça dérange tout le monde, mais c'est juste pour quelques jours. Mes parents ferment les yeux, parce que le père de Victor, le frère de mon père, est juge à la Cour. C'est une personne importante. D'ailleurs, toute la famille Dubois a un gros train de vie, comparé aux Thouin de Mont-Laurier. On n'en parle jamais à la maison, c'est plutôt embarrassant. Mon père est le parent pauvre des Dubois. Pépé Thouin a tout compris. C'est sans doute pour cette raison qu'il apporte, avec son paquet de boudin, une enveloppe pleine d'argent chaque fois qu'il passe à la maison.

J'aime bien Victor. C'est un garçon intelligent et distingué. Il parle le latin et le grec. Il est aussi très généreux. C'est facile pour lui, il a toujours les poches bourrées d'argent. Mais ce que j'aime surtout chez lui, c'est qu'il me parle comme si j'étais un adulte. Il ne m'ennuie jamais. Il m'explique comment la guerre se déroule, même si parfois je ne comprends pas tout ce qu'il me raconte. Le matin, au petit déjeuner, il me lit de longs passages du journal. J'apprends des tas de choses. Quand *La Presse* arrive, en fin d'après-midi, je découpe des articles et, le soir après souper, je lui pose des questions. Il me répond toujours gentiment. Après une semaine en sa compagnie, j'ai l'impression d'être moins ignorant. Par contre, je ne peux pas m'imposer dans ses activités. Il est trop vieux pour moi. Il se tient surtout avec Philippe. Ils ont à peu près le même âge.

Victor est le cousin de Philippe, et le mien aussi. Ils font beaucoup de choses ensemble. Quand mon frère peut s'absenter de l'épicerie où il travaille, il accompagne Victor un peu partout en ville. Samedi dernier, ça a été un peu trop endiablé pour un futur prêtre. Après avoir passé quelques heures à boire de la bière, ils ont fini la soirée au stade De Lorimier. Philippe a invité une belle blonde à danser. Elle était chaude et pétillante. Elle était accompagnée, comme c'est souvent le cas, d'une grosse trapue aux jambes croches. Philippe a insisté pour que Victor fasse danser les jambes croches. Il n'a pas eu le choix. Elle a agrippé le cousin par la taille et l'a traîné sur le plancher de danse. Il s'est fait secouer comme un plumeau. Elle n'a pas lâché Victor de la soirée. Vers minuit, Philippe voulait aller reconduire la petite blonde, mais la grosse trapue devait suivre. Philippe n'avait pas d'objection. Il a arrêté un taxi et est monté avec la blonde. Au même moment, Victor a poussé la grosse et s'est sauvé en courant. Mon frère s'est retrouvé seul avec les deux filles. Victor est rentré à pied, et Philippe a fait un tour de taxi inutile qui lui a coûté plus de deux piastres.

Philippe m'a tout raconté le dimanche matin. Il est encore un peu fâché contre Victor. De toute façon, c'est la fin des vacances pour le cousin. Et Philippe a prévu un plan pour la dernière journée de Victor à Montréal.

Je rejoins mon frère et mon cousin au restaurant chez Uzéreau. Ils mangent des frites et boivent du Kik. Philippe n'a plus l'air fâché du tout. Victor trouve drôle tout ce que mon frère lui raconte. Ils rigolent ensemble comme de vieux amis. Philippe me demande d'approcher. Je vais m'asseoir au comptoir, à côté de Victor. Le père Uzéreau me sert des frites. On me traite en invité.

– Aujourd'hui, je suis occupé à l'épicerie et je ne pourrai pas accompagner Victor, dit Philippe. J'aimerais que tu me remplaces, P.-P. Je vous prête ma bicyclette. J'ai expliqué au cousin qu'il devrait visiter quelques endroits où il n'est jamais allé. Des endroits où il pourrait s'amuser. Je te fais confiance, P.-P. Tu sais ce que je veux dire.

Je ne sais pas ce qu'il veut dire vraiment, mais je m'en doute. Tout ça ressemble à une visite au 312 Ontario. Je n'ai pas de commentaires à faire sur ce sujet. Je ne sais rien et je n'ai rien vu. J'espère qu'ils n'oublieront pas de me payer si je dois garder encore sa maudite bicyclette.

– Donc, si je comprends bien, c'est P.-P. qui va me conduire en ville, ajoute Victor. J'espère que tu es au courant des endroits que Philippe me propose de visiter. Je ne sais pas ce qui m'attend, mais je suis prêt à tout pour me faire pardonner le mauvais coup que je lui ai joué, samedi dernier.

Ni l'un ni l'autre me disent clairement ce que je dois faire, ni où je dois aller. Il faut que je devine. Au début, je veux bien aller rue Ontario. Mais la visite peut être assez courte. Victor n'en a sûrement pas pour la journée. Il faudra trouver autre chose à faire.

Je monte sur la barre du bicycle, et c'est Victor qui pédale. Comme il ne connaît pas la route, je dois lui dire où tourner. Nous arrivons enfin en face du 312. Victor examine longuement l'escalier avant de monter. Il a l'air embarrassé. Il me questionne du regard. Il voudrait que je lui donne mon avis. Ce n'est pas de mes affaires. D'ailleurs, je ne saurais pas quoi lui conseiller. Enfin, il se décide à monter. Il ne regarde pas derrière lui. C'est signe qu'il est bien décidé.

La porte du 306 s'ouvre, et j'aperçois Yvon. La situation n'est pas idéale pour retrouver mon ami. Gardien de bicyclette est un service qui m'agace. J'avais presque réussi à m'en sauver, voilà que ça recommence.

– Ton frère a réussi à se calmer, fait remarquer Yvon. Il te laisse garder sa bicyclette.

D'abord, je dois expliquer à Yvon que ce n'est pas mon frère, même si nous voyageons avec sa bicyclette. Par contre, je ne suis pas capable de lui avouer qu'il s'agit de mon cousin. Je n'aime pas trop mêler ma famille à ce genre d'activités. En fait, je ne lui dis rien de plus que bonjour.

– Je suis content de te voir, lance Yvon. Tu n'es pas venu depuis plusieurs jours. Qu'as-tu fait tout ce temps-là?

Est-ce que je devrais dire la vérité? Je n'en suis pas certain. Après tout, j'ai le droit d'avoir des raisons personnelles et confidentielles. Il n'a pas l'air de comprendre que je ne peux pas m'installer chez lui en permanence. J'ai une maison, une famille. C'est sûr que j'aimerais venir tous les jours, surtout à cause de Gabrielle. Mais c'est le genre de choses que je ne peux pas avouer.

– Ton frère n'est pas avec toi, lâche Yvon. Donc, tu n'as rien à craindre. Tu veux me prêter la bicyclette? J'aimerais faire un tour. Juste un petit tour de rien, dans le quartier.

Pourquoi pas? Victor n'aura pas de raisons de se plaindre. C'est pas sa bicyclette. Au moment où Yvon se prépare à pédaler, Gabrielle sort de chez elle en courant.

– Attends-moi, Yvon ! Je monte avec toi, dit-elle. Tu vas me conduire chez mon amie Suzanne.

Elle se tourne vers moi et ajoute :

– Tiens ! Bonjour, P.-P. Je ne t'avais pas vu.

J'ai l'air fin ! C'est ma bicyclette, mais c'est un autre qui emmène la seule personne au monde avec qui j'aurais aimé faire un tour. En plus, elle ne m'a pas vu. Quand elle s'est assise sur la barre, elle a pris Yvon par le cou. Dire que ça aurait pu être moi. Je ne suis pas assez vite. J'aurais mieux fait d'arracher la bicyclette des mains d'Yvon, de prendre Gabrielle par la taille, de l'asseoir près de moi et d'embrasser ses beaux cheveux frisés. J'ai été pris de court. J'ai figé sur place. Quand je les ai vus partir tous les deux, il m'est passé toutes sortes de choses par la tête. Gabrielle est-elle vraiment la sœur d'Yvon ? C'est peut-être une cousine, une enfant adoptée, ou encore la fille de Dora. Si c'est le cas, je n'ai pas de chance. D'ailleurs, il ne m'a jamais dit qu'elle était sa sœur. Ils s'aiment peut-être en cachette. Ce qui explique pourquoi il ne me parle jamais de Gabrielle. La tristesse me monte à la gorge.

Victor descend l'escalier en se traînant les pieds. Sa visite au 312 l'a secoué. Il regarde autour, les yeux dans le vide. Je suppose qu'il me cherche. J'ai un problème : Yvon n'est pas de retour. Je m'approche de Victor et j'essaie de lui faire comprendre que la bicyclette n'est pas là pour l'instant. Il me dévisage avec un drôle d'air. Il ne m'entend pas. Je lui donne une tape sur l'épaule. Ses yeux s'éclairent. Je lui répète ce que je viens de dire.

– Ah oui ! Je comprends, prononce-t-il. Mais ça ne fait rien. Je vais rentrer à la maison à pied. Tu pourras rapporter la bicyclette. Tu diras à Philippe que j'ai préféré me balader en ville.

Il semble vraiment bizarre. J'espère qu'il ne va pas se perdre en ville. Je pourrais l'accompagner, mais je dois d'abord veiller sur la bicyclette de Philippe. Je ne veux pas attraper une autre raclée.

Yvon arrive enfin. Gabrielle n'est pas avec lui. Il l'a laissée chez son amie. Est-ce que je le questionne pour savoir où est « sa sœur » ? Je ne vais pas me gêner. Pour moi, c'est très important. Mine de rien, je lui demande simplement s'il doit retourner chercher « sa sœur ».

– C'est une sacrée belle bicyclette ! me répond-il en évitant la vraie question. J'aimerais en avoir une pareille. Tu essaieras de passer sur les bosses et dans les trous. Tu vas voir que ses *tires balloon* font toute la différence.

Je me fiche pas mal des *tires balloon*. Je veux savoir si Gabrielle est sa sœur. Ou bien il ne veut pas répondre, ou bien il n'a pas porté attention à ma question. De toute façon, je ne suis pas plus avancé. Je reviendrai à la charge une autre fois. Je suis trop anxieux. Ça doit paraître dans ma voix. Et lui, il est trop excité par son tour de bicycle. Il n'est pas intéressé par ce que je dis.

– Tu restes quelque temps avec moi ? demande Yvon. On ira se lancer le ballon dans le parc Viger.

Ce sera pour une autre fois. Je préfère rentrer tout de suite. Je serais resté avec Yvon si j'avais été certain que Gabrielle allait bientôt revenir. On ne sait jamais avec elle. Elle est toujours quelque part ailleurs. Elle va probablement passer le reste de la journée chez son amie. Ensuite, pour la première fois, j'ai la chance de monter seul cette maudite bicyclette. Depuis le temps ! J'ai une bonne excuse aussi : Victor n'a pas voulu revenir avec moi.

Dès mon arrivée, je vais ranger la bicyclette de Philippe dans le hangar, exactement à l'endroit où elle se trouve d'habitude. Philippe est toujours à l'épicerie. C'est ma chance, il ne m'a pas vu. Pas que j'ai peur de lui, mais je suis prudent. Je descends chercher le journal *La Presse* chez Uzéreau pour découper les articles qui traitent de la guerre et, quand Victor rentrera, je le questionnerai. La guerre m'intéresse de plus en plus. C'est grâce à Victor. Il m'explique des tas de choses. Par exemple, lorsque j'ai lu dans le journal que les Allemands se battaient en Russie, il m'a montré sur une carte où se situait ce pays. Alors, je lui ai demandé si cette invasion, à l'autre bout du monde, allait décourager les Allemands de nous attaquer, ici, à Montréal. Il a bien ri. Il s'est même moqué de moi. En même temps, il m'a rassuré. D'après lui, il y a très peu de risques que les Allemands se rendent jusqu'ici.

Victor n'est pas rentré pour souper. Je l'ai attendu toute la soirée pour lui montrer les articles que j'ai découpés dans le journal. Ma mère a laissé voir qu'elle était inquiète. Philippe l'a calmée aussitôt en disant que Victor avait profité de sa dernière journée à Montréal pour visiter des églises. Il m'a regardé en souriant. Il pensait sans doute au 312.

Vers minuit, une ombre est apparue au pied du lit. Philippe s'est réveillé le premier. Moi, j'ai continué de faire semblant de dormir.

– Philippe, est-ce que tu dors ? C'est moi, Victor. J'aimerais te parler.

– Je ne dors plus, c'est évident. Allons parler dans la cuisine, dit Philippe.

– Non. Ta mère est là. Je ne veux pas qu'elle entende ce que j'ai à te raconter. Est-ce que P.-P. est endormi ?

– Il dort toujours comme une bûche, répond Philippe en se penchant vers moi pour vérifier. Qu'as-tu fait depuis cet après-midi ? Nous commencions à être inquiets.

– Je me suis promené, j'ai visité deux églises pour prier, puis j'ai pris un beigne et un café au Northeastern, rue Sainte-Catherine.

– Comment, deux églises ? Je pensais que P.-P. t'avait conduit dans une maison de la rue Ontario.

– Justement ! C'est de ça que je veux te parler. Ça a été une expérience troublante. D'abord, je me suis retrouvé au milieu d'un groupe d'étudiants d'une école des environs. Je crois que c'est le Mont-Saint-Louis, ou quelque chose du genre. La dame qui nous a accueillis nous a demandé si c'était la première fois que nous venions dans cette maison. Pour ma part, j'ai répondu oui. Elle a dit que je n'étais pas prêt pour le « grand jeu ». Les autres étudiants non plus. Elle nous a conduits dans un corridor étroit. Sur un mur, une grande fenêtre donnait sur une chambre meublée d'un grand lit. Au bout de quelques minutes, deux femmes et un homme, complètement nus, ont commencé à s'ébattre de façon surprenante. Ils faisaient des choses que je n'avais jamais vues.

– Comme quoi ? demande Philippe en souriant.

– Je suis gêné de t'expliquer ça en détail. Es-tu certain que P.-P. est endormi ? questionne Victor.

Je fais semblant de ronfler pour rassurer Victor. Philippe est tellement intéressé par l'histoire du cousin qu'il ne vérifie même pas si je dors.

– Laisse faire P.-P. Continue, ajoute mon frère.

– Ce que j'ai vu m'a troublé. Quand je suis sorti du corridor, la dame m'a demandé si j'étais prêt à choisir une des filles qui attendaient dans la grande salle. Je n'ai pas répondu et je suis sorti.

– Tu as manqué le meilleur, mon pauvre Victor.

– Je ne sais pas si tu te rends compte… Je suis un futur prêtre. C'est trop pour moi.

– C'est pas compliqué. Tu arrêtes dans une église et tu te confesses. Tu dis au prêtre que c'est la première fois, puis tu fais ton acte de contrition. Ne vas pas te confesser au Grand séminaire, tu vas t'attirer des ennuis.

– Tu simplifies un peu trop vite, dit Victor. Je rentre à Trois-Rivières demain matin et je vais réfléchir à tout ça. Bonne nuit !

Victor est parti. J'ai découpé les articles de *La Presse* sur la guerre pour rien. Je me retourne dans le lit et continue de faire semblant de dormir.

13

Tout le monde est là. Pour une fois, je suis invité à me joindre à la famille. Pépé Thouin est arrivé très tôt ce matin. En tout cas, trop de bonne heure pour faire cuire du boudin. Il a un plan à nous proposer. Il a l'air décidé. Il n'entend pas revenir sur sa décision. Mon père est d'accord, ma mère suit, Philippe ne dit rien et moi, j'écoute.

– Jeanne va venir passer quelque temps à Mont-Laurier, dit pépé Léon. Elle a besoin de grand air et de repos. Nous allons en prendre bien soin. Je vais en profiter aussi pour voir un médecin et lui faire passer des examens. Ça prendra le temps qu'il faut, mais je vous promets qu'elle va revenir en pleine forme.

Tant mieux! Ma mère s'affaiblit de jour en jour. Ses os sortent de partout. La campagne va lui faire le plus grand bien. Je ne sais pas encore comment nous allons nous organiser. Ma mère fait tout: la cuisine, le lavage, le repassage, la couture et quoi encore... Mon père ne touche à rien à la maison. Il travaille aux Shops Angus, le jour, la nuit, les fins de semaine... tout le temps. Les chars d'assaut, ça ne peut pas attendre. Philippe est toujours à l'épicerie. Il reste moi. Je vais faire ma petite affaire. Les autres en feront autant.

Madame Lupien arrive au même moment. Quand ma mère l'aperçoit, elle éclate en pleurs. Moi aussi, j'ai envie de chialer. Je me retiens. Une mère ne devrait jamais pleurer devant ceux qui l'aiment. Madame Lupien prend ma mère par le cou pour la calmer.

– Ne t'inquiète pas, ma vieille ! Je vais prendre soin de tes hommes, dit-elle. Je te téléphonerai régulièrement pour donner des nouvelles.

– N'oublie pas, maman, de nous envoyer une bouteille pleine de l'air de Mont-Laurier, ajoute Philippe.

C'est moins triste comme ça. Une blague, ça change l'atmosphère. Ma mère sourit et sèche ses larmes. Pépé Léon n'a pas le temps de rire. Le taxi est en bas qui attend. Mon père prend la valise de ma mère et descend. Je regarde par la fenêtre du balcon. Mon père embrasse ma mère. C'est pas souvent qu'on voit ce spectacle.

Aussitôt, tout le monde reprend ses habitudes. Mon père va se coucher. Il a travaillé toute la nuit. Philippe retourne à l'épicerie. Ça tombe bien, j'ai envie d'être seul.

Une fois dans ma chambre, je me penche sous le lit et je tire ma boîte de matériel scolaire : une plume, une bouteille d'encre (à moitié séchée) et une feuille de papier. J'ai un gros projet : écrire une lettre à Gabrielle.

Gabrielle, ~~mon amour~~, bonjour !

~~Je t'écris J'aimerais savoir une chose~~ Je ne sais pas si je peux te demander si tu es ~~amoureuse~~ la sœur d'Yvon. Je sais que ça ne me regarde pas. Mais je pense à toi ~~tout le temps~~ souvent et si tu n'es pas sa sœur, je pense que je serais mieux ~~de ne plus te voir~~ de le savoir. ~~J'aime bien~~ Yvon est un bon ami pour moi, et je voudrais aussi être ton ami. Je ne sais pas si Yvon ~~serait fâché que je te fréquente~~ est d'accord.

Si Yvon est ton frère, tout s'arrange. Autrement, ça devient compliqué. Je ne sais pas si ~~tu lis entre les lignes~~ je me fais comprendre. Mais je voudrais que tu devines ce que je veux dire, car je n'ai pas ~~le courage~~ le temps d'être plus clair.

Je ~~t'embrasse~~ te dis bonjour !

Pierre-Paul

Ouf ! C'est la première fois que j'écris à une fille. C'est pas facile. Je vais tout retranscrire. Je ne veux pas laisser de ratures. Je prends une enveloppe blanche dans la boîte des cartes de Noël. Une carte sera veuve d'une enveloppe, au prochain Noël. J'écris l'adresse et le nom de Gabrielle sur l'enveloppe (je me demande si Landreville prend deux *l*). Pour le timbre, j'arrêterai au bureau de poste.

Cette lettre est vraiment le dernier test. Ou Gabrielle est fâchée et ne veut plus me voir, ou elle se jette dans mes bras dès qu'elle m'aperçoit ; ou bien encore, elle jette la lettre à la poubelle et oublie de m'en parler. C'est comme une carte de Noël : on ne sait jamais si la personne l'a reçue quand elle ne répond pas ; et elle ne peut pas répondre si on oublie d'inscrire son adresse. Bon ! J'ajoute mon adresse dans le coin de l'enveloppe. Si dans une semaine je n'ai pas reçu de réponse, je comprendrai.

Dans une de mes boîtes sous le lit, je trouve des cartes « MISS DORA » que j'ai oublié de distribuer. Je ne peux pas les garder ici. Si Philippe voit ça, il va tout de suite me poser des questions. Je fais mieux de les remettre à Dora ou de les distribuer dans le quartier du 312. Pas question de retourner au parc La Fontaine et de me faire ramasser par la police militaire. J'ai eu ma leçon.

J'arrive chez les Landreville en début d'après-midi. Yvon et Gabrielle sont absents. J'ai vraiment pas de chance avec cette fille. Elle n'est jamais là. Je comptais sur Yvon pour distribuer les cartes avec moi. Pas de chance non plus. Étendue dans une chaise pliante, Dora boit une bière avec madame Landreville. Cette fois, c'est ma chance. Je souhaite depuis longtemps me rapprocher de Dora. À elle, je peux poser des questions. Elle parle franchement et n'a peur de personne. Cet après-midi, en tout cas, je la trouve très attirante avec ses shorts serrés sur les fesses et son bandeau élastique autour des seins.

– Tu viens voir Yvon, je suppose, me lance Dora. Tu tombes mal. Il est avec Gabrielle à leur cours de diction.

Des cours de diction! La belle affaire! Je me demande bien comment je vais faire pour comprendre Gabrielle à l'avenir… si jamais elle veut bien me parler. J'explique à Dora que j'ai encore des cartes à distribuer et que je me propose de faire une tournée dans le quartier. Si Yvon n'est pas là, j'irai seul.

– Tu ferais mieux d'aller au parc La Fontaine, dit-elle. Il y a plus d'action qu'ici, dans les rues du voisinage.

La police militaire m'interdit d'aller au parc La Fontaine, justement parce que j'ai été pris à distribuer les cartes de Dora aux militaires qui paradaient dans le parc. Si je me fais attraper, je suis bon pour le poste de police. Je fais part à Dora de mon inquiétude.

– Comment? Les Kakis t'ont empêché de distribuer mes cartes? Tu parles d'une bande d'enfants de chiennes! Emmène-toi, je vais t'accompagner. S'ils ne savent pas qui je suis, ils vont l'apprendre.

Une fois dans le parc, nous faisons le tour des tentes réservées aux militaires. Dora me demande si je reconnais celui qui nous a arrêtés, Yvon et moi. Je ne me souviens pas facilement des figures. J'étais tellement nerveux à ce moment-là. Tout à coup, en passant devant la grande tente blanche gardée par deux soldats en uniforme, j'aperçois le moustachu qui nous a remis aux policiers. J'indique à Dora que c'est à cause de lui que nous avons failli aller en prison. Elle le reconnaît et s'approche de lui.

– Alors, mon vieux Gaston, on fait des histoires à mes amis? lance Dora sur un ton élevé. C'est pas parce qu'on est général qu'on a le droit de faire peur aux enfants.

– Pas si fort, lance le moustachu. Viens par ici, on sera mieux pour parler.

Nous passons tous les trois dans la tente du général. D'un geste brusque, le moustachu fait sortir tout le monde. Nous restons entre nous.

– Quelle idée de venir jusqu'ici? Ça peut m'attirer des ennuis, se plaint le général. Nous sommes en guerre, tu n'as pas l'air de savoir ce que ça veut dire.

– Est-ce que madame la générale est dans les parages? interroge Dora.

– C'est pas la question. Je te demande d'être prudente quand tu me rencontres.

– Pourtant, tu es moins nerveux quand tu viens me voir. Est-ce que le pays est toujours en guerre quand vous venez faire votre tour au 312?

Le général moustachu piétine sur place. Il a l'air ennuyé par notre présence. Il fait claquer sa badine sur ses bottes. Si Dora insiste trop, nous allons nous retrouver en prison. Chose certaine, ces deux-là se connaissent bien. Mais le général aimerait mieux voir son amie Dora ailleurs qu'ici.

– Est-ce que mon jeune ami peut distribuer mes cartes? questionne Dora. Je sais que toi, tu n'as pas besoin de mon adresse. Tu la connais par cœur. Mais tes camarades sont peut-être intéressés à savoir où je loge. Tout le monde ne peut pas gagner sa vie à tirer du canon. J'ai des obligations.

– Allez-y discrètement, dit tout bas le moustachu. Éloignez-vous des tentes. Allez plutôt de l'autre côté du terrain de base-ball.

Dora quitte le général en souriant. Je la suis. Nous marchons à travers le parc. J'ai toujours les cartes « MISS

DORA» en main. J'hésite à les distribuer. Elle marche devant moi à grand pas et salue au passage quelques soldats. Je ressens une grande gêne.

– Laisse faire les cartes, dit-elle. Ça te plairait de faire un tour de chaloupe? C'est plus drôle que de fréquenter cette bande de Kakis mal élevés.

J'aime mieux ça. Nous descendons au bord du lac. Il y a des dizaines de chaloupes et de canoës. C'est la première fois que je monte dans une chaloupe. Dora s'assoit au milieu, sur une petite planche étroite, et commence à ramer. Je prends place en face d'elle. Je me sens bien. Je vais pouvoir lui poser toutes les questions qui trottent dans ma tête depuis longtemps. Pour commencer: Gabrielle est-elle vraiment la sœur d'Yvon, sinon, qui est-elle?

– Pourquoi demandes-tu ça? Gabrielle et Yvon sont de bons amis pour toi, fait remarquer Dora. Ça change quoi? Je sais qu'ils t'aiment bien. Tu seras toujours le bienvenu chez eux.

Elle ne répond toujours pas à ma question. Il va falloir que je sois plus précis. Je suis amoureux de Gabrielle. Si Yvon n'est pas son frère, ça m'embête. Peut-être qu'ils s'aiment tous les deux. Dans ce cas, je ferais mieux de me tenir loin de Gabrielle. Je ne veux pas faire de chicane.

– Qu'est-ce qu'il ne faut pas entendre! Le nombril encore tout mouillé et déjà amoureux d'une fillette, lance Dora qui rit de bon cœur. Tu n'y penses pas! Amoureux à ton âge, tu vas trouver le temps long, mon «tout petit». Quand je suis tombée amoureuse pour la première fois, j'avais vingt ans, et crois-moi, c'était trop tôt. Quel âge as-tu?

J'ai envie de tricher et dire que j'ai seize ans. Elle ne me croira pas. Je pense que j'ai été trop loin. Il est trop tard. J'ai tout avoué. Je sens que Dora commence à se moquer de moi. C'est clair qu'on n'a pas le droit d'être amoureux à dix ou onze ans. Je ferais mieux de me taire. Je prends ma tête à deux mains pour cacher ma honte.

– Tu es un gentil garçon. Je ne veux pas que tu sois triste à cause d'une petite fille qui ne sait même pas c'est quoi un amoureux. Si tu dis à Gabrielle: « Je suis amoureux de toi », elle va figer sur place. Elle ne comprendra pas. Attends encore un peu. Avec les années, vous allez vieillir. Un jour, vous découvrirez ce que vous ressentez vraiment l'un pour l'autre. Ah! Puis merde! Je ne sais pas ce que tu dois faire. L'amour, c'est trop compliqué pour moi.

Mes confidences ennuient Dora. Je lui demande de tout oublier. Des fois, je m'emporte et je ne sais plus ce que je fais. Il ne faut pas croire tout ce que je dis non plus. Gabrielle est une jolie fille, c'est vrai, mais ce n'est pas une raison pour embêter tout le monde avec mes sentiments. Ce que je désire, avant tout, c'est que Gabrielle soit mon amie, une copine avec qui je peux faire toutes sortes de choses amusantes.

– Enfin, tu commences à être raisonnable, dit Dora. Une copine, c'est plus de ton âge qu'une amoureuse. Compte sur moi. Je ferai tout ce que je peux pour que vous soyez amis, Gabrielle et toi. Si ça va plus loin, ce sera votre problème. Je ne me mêle jamais des peines de cœur.

C'est tout ce que je veux. Dora est la mieux placée pour me rapprocher de Gabrielle. Je me charge du reste. Bon sang! J'ai oublié d'acheter un timbre au bureau de poste. Tant pis! La lettre à Gabrielle, ce sera pour une autre fois.

14

Les vacances sont terminées. C'est le retour à l'école. Heureusement, la dernière semaine de congé a été bien occupée. J'ai connu des heures excitantes, mais je me suis retenu pour ne pas paraître trop excité moi-même. J'ai vu et revu Gabrielle plusieurs fois. Je n'en demandais pas tant. C'est Dora qui a tout arrangé.

D'abord, Yvon, Gabrielle et moi sommes allés au parc Belmont, avec Dora et son chum, Marcel. Ça a été une journée superbe. Nous avons tenté notre chance dans tous les kiosques où on gagne des toutous et nous sommes montés dans presque tous les manèges. Yvon a gagné un singe en peluche et Marcel, une canne de majorette. Nous nous sommes bien amusés. Dora et son chum ont tout payé.

C'est la première fois que je rencontre Marcel. Ce monsieur est bien l'fun. En plus d'être généreux, il est très élégant. Il porte un costume blanc, une chemise noire, une cravate blanche et des souliers noir et blanc. Ses cheveux noirs semblent vernis à la cire à chaussures, et ses favoris descendent le long de ses joues en forme de côtelettes poilues. Quand il sourit, il ouvre la bouche toute grande pour qu'on voit ses deux belles dents en or. Si jamais il va chez le dentiste Breault, il va sûrement se les faire arracher.

Nous arrivons au parc, vers midi, dans la Cadillac blanche et décapotable de Marcel. Dans le parking, tout le monde nous regarde. Je prends Gabrielle par la main. Elle se laisse faire. Je suis vraiment heureux. Tout le monde se dirige vers le *Scenic Railway*. Une fois dans le manège, Gabrielle a peur. Elle se cramponne à moi. Je mets mon bras autour de son épaule. Je me sens brave. À la première descente en plongée, mon cœur manque d'air, mais je ne sais pas si c'est à cause de Gabrielle ou de la vitesse du train. Quand le *Scenic* s'arrête, elle reste un long moment dans mes bras. C'était formidable !

Yvon veut absolument faire un tour de Tapis magique. Nous y allons tous les trois. Nous prenons place sur une petite banquette, serrés les uns contre les autres, puis le tapis se déroule sous nos fesses. Ouf ! Quelle sensation ! Les jambes en l'air, nous atterrissons devant une grosse bonne femme en papier mâché qui rit dans un haut-parleur. J'aide Gabrielle à se relever. Une vraie merveille, ce manège.

Vers cinq heures, nous allons manger chez Dagwood, un restaurant super chic. Ça doit coûter beaucoup plus cher que chez Géracimo. Je ne suis pas capable d'avaler une seule bouchée. Les manèges et Gabrielle m'ont mis le cœur en compote. Marcel me reconduit chez moi. Sur le chemin du retour, Gabrielle ne veut pas s'asseoir à mes côtés. Yvon se place entre nous deux. Je ne dis pas un mot. Je suis un peu triste. Malgré tout, j'aimerais bien que Philippe me voie arriver en Cadillac décapotable. Il est encore à l'épicerie. Même si je lui raconte ma journée, il ne me croira pas.

Le surlendemain, Dora me demande de l'accompagner au studio où Yvon et Gabrielle suivent des cours de diction. C'est l'idée de revoir Gabrielle qui me fait accepter l'invitation. Les cours de diction, c'est pas mon fort.

Les élèves sont dans une grande salle et répètent, devant un micro, toutes sortes de phrases bizarres, comme « Les chemises de l'archiduchesse sont-elles sèches ou archi-sèches ? ». La directrice les corrige, puis les élèves recommencent en articulant la bouche en cœur. La directrice pourrait choisir des phrases plus faciles à dire.

Dora et moi sommes dans une cabine d'enregistrement où les élèves ne peuvent pas nous voir. J'écoute sans rien comprendre. Mes pensées sont ailleurs. Yvon semble avoir plus de facilité que Gabrielle à rabâcher ses phrases. Je me demande ce que je fais là. Dora s'aperçoit que je m'ennuie.

– Tu n'aimerais pas ça, suivre des cours de diction ? me demande-t-elle. Je peux t'inscrire si tu veux. On ne sait jamais, tu pourrais devenir un grand acteur.

Je n'ai ni le goût ni le talent pour devenir un acteur. Je ne me vois pas sur scène, devant une foule, en train de jouer la comédie. Je suis trop gêné. Je demande à Dora pourquoi Yvon et Gabrielle veulent devenir des acteurs ?

– C'est une longue histoire, dit-elle. Je connais personnellement la directrice. Elle s'appelle Corine Sénéchal. C'est une grande actrice, mais elle ne travaille pas régulièrement au théâtre. C'est un métier difficile. Alors, elle ne fait pas beaucoup d'argent. C'est une amie de Marcel, et nous l'aidons financièrement. Elle vient travailler de temps en temps au 312. En retour, elle donne des cours gratuits à Yvon et Gabrielle. En plus, elle dirige une agence qui choisit les acteurs et les actrices qui jouent à la radio. Elle m'a promis d'aider Yvon à décrocher un rôle dans un radio-roman pour les jeunes.

Si Dora et Marcel s'en mêlent, ça devrait marcher. Ils sont puissants, ces deux-là ! Je suis bien content pour Yvon. Jouer à la radio, c'est moins gênant qu'au théâtre. Et Gabrielle dans tout ça, qu'est-ce qu'elle devient ? J'aimerais bien savoir.

– Pour Gabrielle, dit-elle, nous avons d'autres plans, Marcel et moi.

Quelle sorte de plans ? Dora ne me dit rien. Plus je pose de questions, moins elle me répond. J'ai idée qu'elle en a trop dit. Elle commence à regretter d'avoir parlé.

Je rejoins Gabrielle à la sortie du studio. Elle boude. Les cours de diction semblent l'ennuyer. Dora lui parle à voix basse. Nous rentrons tous les quatre en taxi au 306 Ontario. Madame Landreville insiste pour que je reste à souper. Je me fais une petite place à table, à côté de Gabrielle. J'aimerais lui dire quelque chose, mais je ne sais pas par quoi commencer. Tout à coup, Gabrielle se met à pleurer. Elle se lève et court à sa chambre. J'espère seulement que ce n'est pas à cause de moi qu'elle pleure. Je ne comprends rien aux filles.

C'est là-dessus que s'est terminée ma dernière semaine de congé, il y a déjà plus d'un mois. Depuis, pas de nouvelles des Landreville ni de Dora. C'est l'école, et rien d'autre.

J'ai reçu mon premier bulletin. C'est un désastre : dernier de la classe et des zéros partout. J'ai essayé (je ne voulais pas vraiment) de faire signer mon bulletin par mon père. Depuis trois jours, mon professeur n'arrête pas de me crier par la tête pour que je fasse signer mon bulletin. Le frère Émile est un grand sec à la voix forte. Il veut que tous les élèves soient premiers de classe. Mathématiquement, c'est impossible. Je lui en ai fait la remarque l'autre jour. Il m'a traité de petit baveux. Il est très fâché après moi, et, en même temps, il ne veut pas que je double mon année. Aujourd'hui, il a décidé de me garder après les heures de classe.

– Écoute-moi bien, Dubois ! Ça ne peut pas durer ainsi toute l'année. Il faut faire quelque chose. Je dois absolument rencontrer ton père.

J'ai laissé mon bulletin sur la table de cuisine durant trois jours. Mon père ne l'a pas vu, ou bien il l'a vu et n'a pas eu le temps de le signer. Il construit des chars d'assaut et il n'est pas souvent à la maison. C'est la guerre. Nos soldats ont besoin de chars d'assaut, sinon les Allemands vont venir nous bombarder.

– Laisse faire la guerre, veux-tu? La vraie question, c'est ton rendement à l'école, dit le frère Émile. Si ton père est trop occupé, demande à ta mère de venir me voir au plus sacrant.

Ma mère est très malade. Elle se fait soigner à Mont-Laurier. Je ne sais pas quand elle reviendra à la maison. Pépé Léon dit que sa maladie est sournoise. On pense qu'on est guéri, puis on meurt en pleine santé. Je ne veux pas que ma mère meure. Si elle doit rester à Mont-Laurier toute l'année, bien tant mieux! J'aime mieux ça que la voir mourir à la maison.

– Pendant ce temps, qui s'occupe de toi à la maison? Il doit bien y avoir quelqu'un qui s'intéresse à ce que tu fais à l'école.

Je ne peux pas parler de Philippe. Il a autre chose à faire que de s'occuper de mes devoirs. Je ne vois personne. Il faut que j'invente un nouveau membre dans la famille. Je pourrais avoir une grande sœur qui veille sur moi et qui jette un œil sur mon travail à l'école. Pourquoi pas? Dora est débrouillarde et elle sait parler aux hommes. Je l'ai vue quand elle est tombée sur le dos du vieux général moustachu, au parc La Fontaine. Je propose au frère Émile de rencontrer ma sœur Dora.

– Si elle est capable de redresser la situation avant qu'il soit trop tard, je suis prêt à la rencontrer le plus tôt possible. Je te donne un mois pour quitter la queue de la classe. Si, après cette période, ça ne va pas mieux, je vais prendre d'autres moyens. Il existe des maisons de correction pour les enfants abandonnés.

Je ne suis pas un enfant abandonné. Je suis plus souvent dans la lune, c'est tout. Parce que je pense à

Gabrielle tout le temps et je me fais du souci pour ma mère. Après tout, l'école n'est commencée que depuis un mois, j'ai encore bien du temps. Dora trouvera bien le moyen de me mettre sur la bonne voie.

15

C'est vendredi soir. Mon bulletin n'est toujours pas signé. J'ai passé une dure semaine à l'école. J'ai été en retenue tous les jours. Mon père est en congé et il écoute la radio dans le salon. Je ne peux pas le déranger avec mes problèmes. Le frère Émile est une vraie teigne : « Fais ceci... fais cela... pas comme ça. » Je crois que je vais l'avoir sur le dos toute l'année. Si je peux faire signer mon bulletin par Dora, une fois par mois, j'aurai la paix. Ce qui m'embête, c'est que le frère veut la voir absolument. Il devrait se contenter de la signature de ma « grande sœur ». J'ai peur que Dora ne trouve pas mon idée bien bonne.

Depuis hier, je songe à écrire à Dora pour lui demander ce qu'elle en pense. Écrire une lettre, c'est bien difficile. Je ne connais pas son nom de famille. Je vais être obligé d'adresser ma lettre à « MISS DORA », 312 Ontario. Je ne sais pas si elle reçoit des lettres à cette adresse. Je peux essayer le 306 Ontario, mais madame Landreville ne sera pas contente. Je vais m'efforcer de trouver une autre façon.

Je me couche de bonne heure. La nuit porte conseil. Vers minuit, Philippe me réveille. Il a une feuille de papier dans la main et un grand sourire dans la figure.

– P.-P., réveille-toi. J'ai quelque chose d'amusant à te raconter, dit-il. Je viens de recevoir une lettre du cousin Victor. Il faut que je te la lise. « Mon cher Philippe, je suis dans l'embarras. Tu sais, la petite rondelle de caoutchouc que tu as mis dans la poche de mon veston lorsque je suis allé faire une tournée à bicyclette avec Pierre-Paul, eh bien, mon père a trouvé l'objet par hasard. J'ai eu droit à toute une engueulade. Il m'a posé des questions à n'en plus finir. Il voulait savoir d'où venait cet objet. J'ai été obligé de lui dire la vérité. Il ne veut plus que je remette les pieds chez vous. J'ai eu beau lui répéter qu'il ne s'était rien passé, il ne me croit pas. Demain, mon père et moi, nous rencontrons le directeur du Grand séminaire. Il veut que j'aille me confesser et que je raconte tout ce que j'ai fait à Montréal. C'est embêtant. Je ne serais pas surpris que mon père me retire du Grand séminaire. Adieu la prêtrise ! Tout ça à cause d'une simple visite au 312 Ontario. Je ne sais pas comment vous faites, vous autres, pour vivre dans un tel milieu. Salut. Victor. » Tu parles d'une histoire, ajoute Philippe.

Une « rondelle de caoutchouc », ça signifie quoi, au juste ? Philippe semble au courant, mais moi, je ne comprends rien. Victor ne m'a jamais parlé d'un tel objet. Je demande à Philippe de m'expliquer, s'il veut que je trouve ça drôle.

– C'est une capote, me dit Philippe. Tu ne connais pas ? C'est un petit sac en caoutchouc qu'on enfile autour de la queue pour ne pas attraper de maladies.

Je ne comprends pas pourquoi le père de Victor est fâché. Si cet objet protège contre les maladies, c'est sûrement une bonne chose. Je n'ose pas demander à Philippe quelle sorte de maladies. Il va me répondre n'importe quoi. Je préfère lui dire que, moi aussi, je trouve l'histoire de Victor bien drôle.

– Pauvre Victor ! Il va passer un mauvais quart d'heure au Grand séminaire, lance Philippe en se déshabillant pour se mettre au lit.

Les malheurs de Victor ne m'empêchent pas de dormir. Je n'essaye pas non plus d'en savoir plus.

Le lendemain, samedi, je prends le tramway pour me rendre chez les Landreville. J'espère seulement avoir l'occasion de parler à Dora. Yvon est dans sa chambre et s'amuse avec son armée de plomb. Je le rejoins. Il a reçu de nouveaux soldats. Je n'ai pas le cœur à jouer à la guerre, mais je dois gagner du temps. Dora n'est pas présente, et Gabrielle est sortie. Madame Landreville m'offre un grand verre de chocolat au lait, comme madame Lupien quand je lui rends visite. Yvon me parle de ses cours de diction et me demande comment je l'ai trouvé, l'autre jour, au studio. Je lui réponds qu'il a beaucoup de talent et qu'il deviendra un grand acteur. Je le pense vraiment, mais c'est encore mieux de le dire. Ça ne coûte rien et ça fait plaisir.

Marcel vient reconduire Dora chez les Landreville et repart aussitôt dans sa Cadillac blanche. Je me dépêche de rejoindre Dora. Elle porte un imperméable noir avec de la fourrure. Je n'ai jamais vu ça. Le frère Émile non plus. Il va avoir tout un choc.

Je demande à Dora de m'écouter un moment, car c'est important. Je lui parle de ma situation à l'école. Elle ne semble pas intéressée à ce que j'ai à dire. Mais quand je lui dis que j'ai inventé l'histoire de ma grande sœur et que mon professeur exige qu'elle vienne le rencontrer, elle sursaute.

– Non, mais t'es complètement capoté ! Pourquoi as-tu fait ça ? me demande-t-elle.

Les choses se présentent mal. Elle a l'air fâché. Je dois trouver un moyen d'obtenir sa pitié. Je plonge, tête baissée. D'abord, ma mère est très malade et va bientôt mourir, mon père se tue au travail (je ne parle pas de Philippe), je suis toujours seul à la maison et j'ai toujours rêvé d'avoir une sœur. À la fin, je mets le paquet : si elle ne veut pas être ma grande sœur, pour une seule petite fois, et venir avec moi rencontrer mon professeur, je vais finir en maison de correction.

– J'ai compris, ça va pour cette fois, dit-elle. Mais n'en prends pas l'habitude. Je n'ai pas le goût de jouer la grande sœur.

Ma première réaction n'est pas de lui dire merci, mais de lui faire des excuses. Je suis bouleversé. Je croyais qu'elle accepterait avec gentillesse. Au contraire, elle semble contrariée. Je n'aurais jamais dû lui demander une chose pareille. Nous ne sommes pas du même monde. Dora est belle, riche et connaît beaucoup de monde. Moi, un pauvre ti-cul, j'en fais ma sœur et je lui demande de rencontrer mon professeur. Je suis triste et j'ai envie d'être ailleurs. Je me sauve en courant.

– Hé ! Petit, reviens ici, me crie Dora qui court derrière moi. Où vas-tu comme ça ? Tu vas pas en faire toute une histoire. Je t'ai dit que j'irais le rencontrer, ton ostie de professeur ! Tu vas pas te mettre à chialer en plus. Je suis une fille sensible, moi… tu me mets tout à l'envers. Viens ici, nous allons en parler tranquillement.

Nous sommes assis, Dora et moi, sur le perron du 306. Elle me colle contre elle. J'ai le nez dans la fourrure de son imperméable. Paf ! J'éternue. Dora sort un Kleenex et me mouche en tenant sa main derrière ma tête. Elle sent le parfum et on dirait qu'elle est complètement nue sous son imperméable. C'est ce que je pense, mais je n'en suis pas certain.

– Parlons franchement, dit Dora. Il faut décider du moment et de l'endroit de cette rencontre. J'aimerais aussi que tu me parles un peu de ton professeur. Quelle sorte d'homme il est : grand, beau, fort, jeune ou vieux ? Pour moi, c'est important.

Je n'ai pas grand-chose à dire : c'est un frère enseignant avec une longue soutane noire, toujours pleine de poussière de craie blanche. Je ne sais pas s'il est beau, mais il est grand avec des cheveux coupés très court. Je ne connais pas son âge. Il doit être pas mal vieux. Je suggère à Dora de nous rencontrer le plus tôt possible, soit dès lundi après-midi, après la classe, à quatre heures, en face de l'école. Je préviendrai mon professeur lundi matin.

– Entendu ! Tu peux compter sur moi, dit Dora avec un large sourire et en me passant gentiment la main dans les cheveux. En tout cas, ajoute-t-elle, si ton frère enseignant veut toujours t'envoyer dans une maison de correction, tu me le feras savoir. J'ai des petites nouvelles pour lui.

Je rentre chez moi rassuré. J'espère maintenant que Dora sera au rendez-vous. J'ai oublié de lui demander si elle est d'accord pour signer mon bulletin chaque mois. C'est un détail. Une fois qu'elle aura commencé à s'occuper de moi, je suis certain qu'elle ne me laissera pas tomber.

Madame Lupien arrive avec un plat de pâté chinois. Ça tombe bien. Mon père se préparait à faire cuire, pour la cinquième fois cette semaine, un œuf et de la saucisse. Je suis écœuré de la saucisse et des œufs. Madame Lupien a eu une longue conversation au téléphone avec ma mère. Elle nous apporte les dernières nouvelles.

– Madame Dubois prend du mieux, de jour en jour, rapporte-t-elle. Elle a vu un médecin à Mont-Laurier, et tout le monde attend les résultats d'examen. Elle pense bien être de retour à la maison cet automne, ou avant Noël, c'est certain.

– Est-ce que ma femme vous a parlé de sa chute dans le moulin à scie ? demande mon père. Vous a-t-elle dit si son poignet est fracturé ?

– Elle ne m'a rien dit, réplique madame Lupien. Ça ne doit pas être trop grave.

– Elle m'a écrit, il y a une semaine. Ça venait juste d'arriver. C'est sans doute juste une foulure.

Mon père reçoit des nouvelles de ma mère et n'en parle pas. Il est toujours dans la lune, ou la tête collée contre la radio. Si la guerre dure encore longtemps, il va virer en char d'assaut. On serait peut-être mieux de déménager toute la famille aux Shops Angus. Avant, il parlait avec ma mère, mais depuis qu'elle est à Mont-Laurier, il ne parle plus à personne. Il fume comme une cheminée et mange des sandwichs au beurre de *peanuts* à l'ouvrage. C'est Philippe qui lui prépare ses lunchs à l'épicerie, avec le beurre de *peanuts* de Dolbec. Mon père ne me demande jamais rien. Une chance que Philippe est là de temps en temps. Ça me fait quelqu'un à qui parler.

– La prochaine fois, je vous apporterai de la sauce spaghetti. J'en ai préparé un plein chaudron, dit madame Lupien.

Aujourd'hui, dimanche, j'ai mangé du pâté chinois pour déjeuner. Je devrais être capable d'attendre jusqu'au souper. Cet après-midi, je m'en vais au petit *boiler*, sur la rue Saint-Laurent, le seul cinéma qui accepte les jeunes qui n'ont pas encore seize ans. Ça coûte vingt-cinq cennes. Il y a des actualités sur la guerre et un film de cow-boys. J'y vais à pied, parce que je garde mes billets de tramway pour aller chez les Landreville. Demain, lundi, une grosse journée m'attend.

16

J'ai dit au frère Émile que ma grande sœur viendrait me chercher, après la classe, à quatre heures. S'il veut la rencontrer, c'est le temps. Une façon de laisser entendre qu'elle vient d'abord me chercher et non pour faire sa connaissance. Il m'a lancé une grimace.

– Bien sûr que je veux la rencontrer ! Je vous attendrai au dortoir à partir de quatre heures. Tu apporteras tes cahiers d'exercices. Je veux montrer à ta sœur combien tu as été négligent ces derniers temps. Au fait, quel est son prénom ?

J'ai trouvé une sœur, je ne veux pas lui forger un nom par-dessus le marché. Je sais que Dora n'est pas son vrai nom. Mais comme le frère me demande quel est son véritable nom, je lui dis qu'elle s'appelle Dorothée. S'il veut savoir autre chose, je lui dirai de s'adresser directement à Dorothée. Je ne vois pas pourquoi j'apporterais mes cahiers d'exercices, il n'y a rien d'écrit dedans. Je sens que le frère m'a entrepris d'une belle façon. Le rendez-vous de cet après-midi ne sera pas une récréation.

Je m'installe à un coin de rue, juste en face de l'école. La grosse horloge sur la façade de l'immeuble n'a jamais marché. Rien ne fonctionne dans cette école. Au pif et à l'œil, il doit être passé quatre heures depuis un bon bout de temps. Pourvu que Dora ne fasse pas attendre le frère Émile. Il n'est pas commode.

Soudain, j'aperçois ma « grande sœur » qui descend du taxi. Elle porte un ensemble noir, puis un petit chapeau noir et blanc avec un morceau de moustiquaire à hauteur des yeux. On dirait une veuve qui vient prier au corps. Cela ne l'empêche pas d'être très jolie. Elle replace mes cheveux avec sa main, comme avec une brosse.

Le frère Émile nous attend au dortoir. Il s'avance pour serrer la main de Dora, puis recule le temps d'essuyer sa main crasseuse sur sa soutane. Il est impressionné par Dora. C'est visible. On dirait qu'il voit une belle fille pour la première fois. Il ne me regarde même pas. Ça fait mon affaire. Il oubliera mes cahiers d'exercices.

– Vous êtes bien la sœur de Pierre-Paul ? demande le frère qui doit me trouver aucune ressemblance avec Dora.

– En effet, je suis sa grande sœur depuis toujours. Pierre-Paul est mon petit frère préféré. Je m'en suis toujours occupée, mais je vais m'en occuper encore plus à l'avenir.

Elle est « ma grande sœur depuis toujours »... Je pense qu'elle est menteuse... Menteuse ou non, au moins, je suis son préféré. Je ne lui demande pas de s'intéresser à moi tous les jours, je veux seulement qu'elle signe mon bulletin, une fois par mois. J'espère qu'elle ne pense pas s'installer chez nous, avec mon père et Philippe pour s'occuper de mes études. Je ne veux pas aller vivre avec elle non plus. Ça marcherait pas, c'est certain.

– Je suis très content de vous rencontrer, ajoute le frère. Pierre-Paul s'achemine vers une année perdue. Pourtant, il a toujours été un élève studieux et exemplaire, mais, cette année, rien ne fonctionne. Le jour, il est dans la lune ; et le soir à la maison, il néglige ses devoirs et ses leçons.

– Nous allons y voir… nous allons y voir, répète Dora. Dites-moi ce que je dois faire.

– D'abord, vous devez exiger, lorsqu'il rentre de l'école…

– À quelle heure rentre-t-il de l'école ?

– Entre quatre heures et quatre heures et demie… Vous exigez, dis-je, qu'il vous montre son cahier d'exercices où sont inscrits les devoirs à effectuer et les leçons à apprendre.

– Mon frère, je suis un peu pressée. Qu'est-ce que je dois faire, au juste ? demande Dora qui semble s'impatienter. C'est pas moi qui ferai ses devoirs, n'est-ce pas ?

– Non, mais vous devrez le guider, l'aider, l'encourager et surveiller son rendement.

– Tu entends ça, Pierre-Paul ? Je vais surveiller ton rendement. Tu comprends ? Ton rendement, il faut que je le voie, si tu veux que je le surveille.

Puis Dora s'adresse au frère Émile :

– Au fait, c'est quoi le rendement ?

– Les résultats de son travail, chaque semaine ; et son bulletin, à la fin de chaque mois. Je dois aussi insister sur le programme d'études de l'année. En français, c'est l'analyse logique et grammaticale, les participes passés avec être et avoir, sans oublier les verbes pronominaux. En arithmétique, le toisé, le calcul des surfaces en mesures carrées, l'initiation à l'algèbre et les polygones.

– Les poli… quoi ?

– Les polygones… c'est un ensemble de plans limités par des segments de droites consécutifs. C'est très bien expliqué dans le manuel.

– Ah bon ! C'est tout un programme ! Heureusement qu'il y a le manuel. Est-ce que c'est tout ? interroge Dora.

– Il y a aussi la géographie, l'histoire du Canada et le catéchisme. Mais Pierre-Paul a toujours montré assez de facilité pour ces matières. Il faudra surtout travailler le français et l'arithmétique.

– Eh bien, Pierre-Paul, au travail ! lance Dora. On commence ce soir. Avec moi, faut pas que ça traîne.

Dora prend la chose un peu trop au sérieux. « On commence ce soir !... » Elle va un peu vite. J'ai autre chose à faire, ce soir. Si elle continue à me bousculer, elle va finir par être aussi fatigante que le frère Émile. Je l'ai choisie pour être ma grande sœur, non pour devenir un autre professeur. Elle veut m'aider à faire mes devoirs... Quelle idée ! Elle ne sait même pas c'est quoi un participe passé ou un polygone. Je serai obligé de lui donner des leçons. Au moins, le frère croit qu'elle va m'aider. C'est le principal.

– Je suis bien heureux que vous considériez le problème avec gravité, répond le frère Émile. Pierre-Paul a vraiment besoin d'un bon coup de main.

– Vous pouvez compter sur moi, mon frère. Je peux vous parler seul à seul ?

– Bien sûr, avec plaisir.

– Allez, p'tit frère, va m'attendre sur le trottoir. Je te rejoins dans quelques minutes.

Avant, elle m'appelait « petit », maintenant, elle m'appelle « p'tit frère ». Au fond, elle m'a peut-être adopté comme son petit frère depuis que je l'ai choisie comme grande sœur. Cela n'empêche pas que j'ai toutes les misères du monde à lui faire entrer dans la caboche que je m'appelle ou P.-P. ou Pierre-Paul.

Je me demande ce qu'elle mijote avec le frère Émile. Je crois que l'idée des devoirs et des leçons, tous les soirs, ne lui plaît pas. Elle va sûrement essayer de trouver une autre formule. Tiens, voilà qu'elle revient ! La discussion n'a pas été longue. Par contre, elle semble avoir obtenu ce qu'elle voulait. Dora est une femme formidable ! Il faut que je lui dise merci pour tout ce qu'elle fait pour moi. Elle replace sur sa tête le petit chapeau noir et blanc, puis défroisse le moustiquaire qui n'est plus à la hauteur de ses yeux et me dit :

– Ne t'inquiète pas, p'tit frère, tu n'iras pas à la maison de correction. J'ai réglé l'affaire avec ton professeur. Tout ce que je te demande : fais un petit effort en classe, force-toi un peu pour faire tes devoirs et apprendre tes leçons. Je ne pourrai pas te suivre comme ça tout le temps. Allez ! Sois raisonnable.

« Fais un petit effort... force-toi », j'entends ces mots tous les jours. Ce n'est pas nouveau. Le frère Émile n'arrête pas de me répéter la même chose. Au moins, Dora a réussi à m'éviter la maison de correction. Pour le reste, je trouverai bien un moyen de m'en sortir. Je lui demande, malgré tout, si elle est prête à signer mon bulletin une fois par mois.

– On verra, dit-elle. Tu n'auras qu'à le laisser chez les Landreville, et je le signerai en passant. Dis donc, tes parents ne sont pas capables de signer ton bulletin ?

Il faut encore que je lui explique tout ce que je lui ai déjà dit. Dora est bien gentille, mais elle n'a pas de mémoire. Elle a dû avoir de la misère à l'école. Elle me prend par la main, et nous marchons jusqu'au stand de taxis en face du salon mortuaire, à côté de l'église. Il y a toujours des taxis à cet endroit. Elle dépose un rapide baiser sur mon front et me lance avant de monter dans une voiture :

– N'oublie pas mon invitation pour vendredi prochain. Ce sera une belle fête.

Je lui fais un signe de la main. Trop tard. Je l'aperçois de dos dans le taxi qui démarre. Salut quand même, mon ange gardienne ! J'avais un ange gardien, mais il ne s'occupe pas beaucoup de moi. Je préfère Dora. C'est bientôt l'heure du souper. Je rentre à la maison. En route, je m'arrête acheter des biscuits Stuart chez Uzéreau. Il y a un attroupement de bicyclettes devant la porte du restaurant. Je me dis: « Tiens, c'est ma chance de faire quelques cennes, ce soir. » À l'intérieur, Philippe et sa gang font tout un vacarme. Tout le monde est assis autour d'une grande table, avec un immense gâteau au chocolat devant Poil-Blanc. Je m'approche de Philippe pour savoir ce qui se passe.

– C'est Poil-Blanc, il a dix-huit ans aujourd'hui. Je lui prépare toute une fête.

Je sais que je ne suis pas invité à fêter avec eux. Je suis le petit frère de l'autre. J'ai hâte d'avoir dix-huit ans moi aussi. À cet âge, tout est plus facile. Finie l'école, on travaille, on se fait de l'argent, et les filles nous écoutent. Je pourrai porter une belle chemise rouge avec un foulard attaché autour du cou…, comme Poil-Blanc, ce soir. Il a l'air d'un acteur de cinéma. Je demande à Philippe quelle sorte de fête il prépare à son ami.

– Nous allons tous au 312 Ontario. On lui réserve une cérémonie très spéciale.

Je préviens Philippe que, s'il veut aller au 312 avec sa gang, moi, je suis prêt à garder les bicyclettes, au même tarif qu'avant.

– Ça sera pas nécessaire! Ti-Pit Langlois a reçu une nouvelle bicyclette avec un grand panier fixé sur l'aile arrière de son bicycle. On peut alors traîner avec nous une immense chaîne avec deux cadenas. Nous allons attacher toutes nos bicyclettes ensemble et passer la chaîne autour de la clôture de métal, en bas du 312. Avec ça, on est sûr de ne pas se faire voler.

Je tiens à faire remarquer à Philippe qu'il y a beaucoup de vols de pneus et de roues de bicycles par les temps qui courent. Je connais au moins trois gars à l'école qui ne peuvent plus utiliser leur bicycle parce qu'ils se sont fait voler leurs pneus.

– Oublie ça ! Nous avons tout prévu, dit Philippe. La chaîne est assez longue pour faire le tour des roues et protéger nos pneus.

C'est sans doute ce qu'ils appellent le progrès. Une chaîne et des cadenas à la place d'un vrai gardien de bicycles. Ce n'est pas comme ça que nous allons gagner la guerre. Des chars d'assaut, des avions puis des bateaux, c'est bien beau, mais sans soldats, ça sert pas à grand-chose.

17

C'est vendredi. Je n'ai pas oublié l'invitation de Dora. Je sors de l'école à quatre heures et saute dans le premier tramway. Heureusement que j'ai un peu d'argent. C'est moi qui fais les commissions pour la famille. Mon père me permet de garder les sous qui restent quand j'ai tout payé. J'ai pu m'acheter des tickets de tramway pour un mois. Je rejoins tout le monde au poste de radio CKAC, rue Sainte-Catherine. C'est la première fois qu'Yvon joue dans *Madeleine et Pierre*, un radio-roman pour jeunes. Je n'ai jamais écouté le programme avant aujourd'hui, mais, à l'avenir, je vais l'écouter tous les soirs. C'est fantastique ! Je vais pouvoir raconter à tous ceux que je connais que je suis allé assister à un programme de radio, dans un vrai studio, avec de vrais acteurs. C'est pas tout le monde qui a cette chance. D'ailleurs, il n'y a que les Landreville et moi qui sommes présents ; Dora, bien sûr, et madame Sénéchal.

Yvon est dans le grand studio avec les autres acteurs, debout devant une rangée de micros. C'est impressionnant ! Je suis dans une cabine avec les autres invités. Nous sommes séparés des artistes par une grande fenêtre vitrée. Une lumière rouge dans la cabine s'est allumée où il est écrit « Silence ». Malheureusement, je ne pourrai pas parler à Gabrielle qui est debout juste à côté de moi. Mais je sais qu'une petite fête a lieu chez les Landreville après l'enregistrement. Je trouverai bien un moment pour lui parler.

Les acteurs lisent leur texte et se taquinent. C'est la répétition avant le début du programme. Soudain, une autre lumière rouge s'allume: « En ondes ». Je me sens nerveux pour Yvon. Dans notre cabine, nous entendons tout ce que les acteurs disent.

Madeleine: Cette aventure comporte de grands risques. Est-ce que tu comptes emmener Bibi avec toi?

Pierre: Bibi est un garçon débrouillard. J'aurai sûrement besoin de son aide. Alors, Bibi, tu es prêt? Tu peux encore changer d'idée, si tu veux.

Bibi: (C'est Yvon) Je n'ai peur de rien.

Pierre: Bravo! Allons-y.

Madeleine: Soyez tout de même prudents. Je vous attendrai. Si vous n'êtes pas de retour demain soir, j'enverrai une équipe à votre secours.

Dans un coin du studio se trouve une grosse construction, une sorte de boîte, avec des portes, des cloches, une sirène, un tourne-disque et un homme assis sur un tabouret. C'est le bruiteur. Nous entendons un bruit de porte qui se ferme, le vent qui souffle, des pas dans la neige, un cri de hibou. C'est épeurant! Bibi (Yvon) souffle dans le micro devant lui. Il semble avoir de la difficulté à respirer.

Bibi: Si le vent continue de souffler comme ça, je ne sais si nous allons nous rendre.

Pierre: Un peu de courage. Tout ira mieux une fois que nous aurons traversé la montagne devant nous.

Le programme dure quinze minutes. Bibi et Pierre éprouvent toutes sortes de difficultés. Ils sont pourchassés par des méchants, se cachent dans la forêt, et des chiens hurlent autour d'eux. Ouf! Une musique vient mettre un terme à leur aventure. Il était temps. Un acteur s'avance vers le micro.

L'annonceur: Pierre et Bibi sortiront-ils indemnes des dangers qui les menacent? Ne manquez pas les aventures de Madeleine et Pierre demain à la même heure et au même poste.

Yvon a été extraordinaire! Tout le monde quitte la cabine d'enregistrement et rejoint les acteurs dans le studio. Dora et madame Sénéchal se lancent sur Yvon et le prennent dans leurs bras. Gabrielle embrasse Yvon sur les deux joues, il l'embrasse à son tour. Je trouve qu'ils s'embrassent beaucoup pour un frère et une sœur. Une fois que tout ce léchage est terminé, je m'avance et serre la main à Yvon. Nous restons un moment dans le studio à parler avec les autres acteurs. Je me sens un peu gêné. Je suis un simple spectateur. Tout le monde est invité à se rendre chez les Landreville pour une petite fête en l'honneur d'Yvon à l'occasion de ses débuts à la radio

Il y a beaucoup de monde chez les Landreville. Surtout des amies de Dora, la plupart sont des pensionnaires du 312. Marcel, le chum de Dora, est venu faire un tour, juste le temps de montrer ses dents en or, sa belle cravate et son chapeau aux larges bords. Dora et ses amies ont essayé de le retenir, mais des gars tout habillés en noir l'attendaient dans sa Cadillac, stationnée à la porte du 306.

Madame Landreville s'est donné un mal fou pour préparer cette fête. La table de cuisine est remplie de sandwichs faits avec du pain de couleur. Je n'ai jamais vu ça. Des sandwichs roses, bleus, verts. Sur la galerie arrière, deux immenses cuvettes sont pleines de bouteilles de Black Horse, de Molson, de Kik, de Jumbo plantées dans de la glace concassée. Miam-miam! J'ai hâte de tomber là-dedans, surtout pour les sandwichs de couleur et le Kik. Il y a aussi un gros gâteau au chocolat.

C'est écrit dessus: « Bravo Yvon! » Pour une fois, ça va faire changement avec le pâté chinois et la sauce à spaghetti de madame Lupien. Pendant que je déguste (des yeux seulement) toutes ces bonnes choses à manger, Yvon s'approche de moi.

– Salut, P.-P.! Je suis content que tu sois là. Comment as-tu aimé le programme *Madeleine et Pierre*? J'espère que tu vas l'écouter à la radio, tous les jours à six heures moins quart.

Je le rassure. J'ai bien aimé le programme, mais j'ai surtout trouvé qu'il se débrouillait bien avec son texte. Ça doit être très énervant de parler dans la radio. Il a montré beaucoup de calme. J'aurais voulu davantage le féliciter, mais comment faire? Je ne suis pas un expert. Et je n'ai pas suivi de cours de diction. À la place, je le complimente pour cette magnifique fête en son honneur. Je trouve qu'il y a beaucoup de choses à manger. Tout ça a dû coûter très cher.

– C'est Dora et ses amies qui ont tout payé. Regarde la belle montre que Marcel m'a offerte, dit Yvon en retroussant les manches de sa chemise. Il a aussi promis qu'il m'emmènerait à Hollywood, un jour. Il connaît plein de monde dans le cinéma. C'est formidable! Je te vois tout à l'heure, dit-il en se mêlant aux autres invités.

Une montre en or, un voyage à Hollywood, vedette de la radio... je n'ai pas l'impression qu'il va pouvoir rester mon ami encore bien longtemps. Je vais manger le plus de sandwichs possible, puis je vais rentrer à la maison. J'aimerais bien, avant de partir, dire quelques mots à Gabrielle. Pour le moment, ce n'est pas facile. Elle est occupée à aider sa mère et à servir les invités. Moi aussi, je suis un invité. Elle pourrait bien venir m'offrir quelque chose. Laisse donc faire! Je vais me servir moi-même. Je m'étire le bras pour attraper un sandwich rose, lorsque Dora m'agrippe la main.

– Allons, p'tit frère ! Viens un peu ici que je te présente mes amies. Les filles ! crie-t-elle à tue-tête devant tout le monde. Il faut que je vous présente mon p'tit frère. Je n'avais pas de frère, mais lui a décidé que j'étais sa grande sœur. C'est pas beau, ça ? Je ne sais pas qui sont mon père ni ma mère, mais j'ai un frère. Je veux que vous le considériez comme un membre, le seul membre, de ma famille, dit-elle en s'essuyant les yeux et en reniflant. N'est-ce pas qu'il est beau et qu'il est petit, mon p'tit frère ? ajoute-t-elle en me prenant dans ses bras et en collant son nez et sa bouche pleins de larmes sur ma joue.

Dora pleure, et tout le monde applaudit. Je reste là sans bouger. Elle doit avoir bu trop de bière. C'est pour ça qu'elle pleure. Je n'ai jamais voulu être membre de sa famille. C'était juste pour signer mon bulletin et rencontrer le frère Émile. Je ne suis pas orphelin.

Les amies de Dora s'avancent pour m'embrasser. Elles sentent le parfum fort, et leur rouge à lèvres barbouille mes joues et mon front. Dora continue de pleurer et de boire de la bière. Il faut dire que les deux choses vont bien ensemble. Pour un instant, Gabrielle abandonne sa mère puis les invités, et vient m'embrasser à son tour. Je suis complètement étourdi. J'ai soudain l'impression d'être le héros de cette fête. J'espère qu'Yvon ne m'en voudra pas trop. Gabrielle est restée près de moi après son baiser du bout des lèvres. Ça me donne du courage. Comme Bibi dans *Madeleine et Pierre*, je n'ai peur de rien ! J'espère que ça ne me poussera pas à commettre de bêtises. J'ai tellement pas l'habitude de faire des niaiseries que je ne sais jamais si ce que je fais est correct ou maladroit.

Tous les plats de sandwichs, d'olives et de salade de macaroni sont vides. Il est déjà près de dix heures. Tant pis. Mon père travaille toute la nuit, et Philippe ne s'inquiète jamais de savoir où je suis. De toute façon, je n'ai pas envie de partir. Gabrielle est autour. Elle vient me parler de temps en temps. C'est elle qui mène la conversation. Chaque fois que je m'apprête à dire quelque chose, j'y pense et je change d'idée. Mais la prochaine fois qu'elle viendra pour me parler, je l'interromprai et je plongerai. Ma chance se présente enfin. Je lui demande pourquoi elle ne joue pas dans le même programme qu'Yvon.

– Je n'aime pas ça, dit-elle. Madame Sénéchal me tombe sur les nerfs. Je vais suivre des cours de danse. Pour une fille, c'est plus intéressant que de parler dans un micro. Toi, pourquoi ne suis-tu pas des cours de diction?

Je n'ai pas le temps de répondre. Dans la rue, des autos de police défilent dans un hurlement de sirène. Tout le monde se met à crier: « C'est un black-out! Éteignez les lumières! » Toute la maison est plongée dans le noir. Gabrielle se presse contre moi. Elle a peur. Ça tombe bien, je me sens entreprenant. Je passe mon bras autour de son cou et je l'embrasse sur la bouche. Elle se laisse faire et ajoute:

– Quand un garçon m'embrasse, j'exige une photo de lui. J'en ai déjà toute une collection. N'oublie pas d'en apporter une, la prochaine fois que tu viendras me voir!

Je lui demande si j'aurai droit à un autre baiser si je lui donne ma photo. Après tout, il n'y a rien de gratuit de nos jours.

– On verra, dit-elle.

Au même moment, Dora s'excite. Elle semble vraiment énervée. Elle crie comme si les Allemands allaient bombarder la ville.

– Les filles! Allez voir si les lumières sont fermées au 312, lance-t-elle. Je ne veux pas que la police militaire vienne mettre son nez dans nos affaires. Fermez les stores! C'est dix piastres d'amende si on se fait prendre.

Si j'ai bien compris, je ne peux pas partir avant la fin du black-out. Ce n'est qu'un exercice du temps de guerre. C'est la deuxième fois que je vis une situation semblable. Et les Allemands ne sont pas encore venus bombarder la ville. Gabrielle est toujours à mes côtés. J'attendrai le temps qu'il faut.

18

J'ai beau chercher partout, je ne trouve rien. J'ai une seule photo de moi, et c'est celle de première communion. C'est une grande photo en carton empesé signée « Studio Allard ». J'ai l'air aussi empesé que le carton. Je suis maquillé comme un clown et je porte un long brassard blanc garni de tresses dorées et d'un calice jauni. Si je donne ça à Gabrielle, elle va rire de moi. Elle ne voudra pas me donner un autre baiser en échange. À quatre heures, après l'école, j'irai me faire tirer le portrait.

Je ne peux jamais faire ce que je veux. Au moment de partir, le frère Émile m'accroche. Je retourne à mon pupitre. Nous sommes seuls dans la classe. Le frère est très nerveux. Il se ronge les ongles et me fixe dans les yeux.

– Ça fait trois fois que je te le répète, me dit-il sur un ton agacé. Je veux que tu demandes à ta grande sœur de venir à l'école. J'ai absolument besoin de la voir. Me comprends-tu ?

J'ai compris du premier coup. J'ai essayé, à chaque fois, d'expliquer au frère que Dorothée est très occupée. Je ne peux pas la traîner de force à l'école. Elle travaille beaucoup et n'a pas de temps libre. Le frère n'a pas raison de s'énerver. Depuis que Dora « m'aide », mes notes se sont améliorées. En plus, elle va signer mes bulletins tous les mois, comme promis.

– Où est ton dernier bulletin ? Je ne l'ai pas encore reçu. Si ta sœur ne vient pas me voir avec ton bulletin dans les prochains jours, je vais être obligé de sévir. S'il le faut, je lui téléphonerai. As-tu son numéro de téléphone ?

Je n'ai pas prévu de menteries toutes faites pour cette question. Je suis obligé d'inventer sur le tas. Je fais comprendre au frère que Dorothée a un travail qui l'oblige à s'absenter souvent. Elle n'est pas facile à joindre. En plus, à cause des chinoiseries du temps de guerre, nous ne pouvons pas faire installer le téléphone à la maison. Mais je suis prêt à demander à ma sœur de téléphoner à l'école quand elle aura une minute de libre.

– Je ne veux pas seulement lui parler, dit le frère Émile. Je veux surtout la voir. Charge-toi de lui transmettre le message.

Oh, il n'est pas commode, aujourd'hui, le frère ! Je ne savais pas qu'il avait tant envie de voir Dora. Je ne comprends pas pourquoi. Nous avons tout réglé la dernière fois. Je vais quand même en parler à Dora. Elle décidera.

Enfin, vers quatre heures et demie, je peux me sauver. Je me souviens d'avoir vu une cabine à photos à la Pharmacie Montréal, rue Sainte-Catherine. C'est dans le même coin que le 306 Ontario. Je peux donc me permettre de dépenser un ticket de tramway. Si la photo est bonne, j'irai tout de suite la porter à Gabrielle. J'attends, à côté de la cabine, que ma photo apparaisse dans le petit panier en broche. C'est énervant ! J'ai hâte de voir de quoi j'ai l'air. Youpi ! C'est pas trop mal ! Comment quatre photos ? La machine m'a photographié quatre fois, pour dix cennes. C'est une aubaine ! Pas question que je donne les quatre photos à Gabrielle pour un seul petit baiser niaiseux. Je vais garder les trois autres. On ne sait jamais, ça peut servir.

Je m'amuse à rentrer et à sortir de la Pharmacie Montréal. C'est fantastique ! Il n'y a pas de porte, hiver comme été, beau temps mauvais temps. Un courant d'air artificiel qui vient du plafond empêche la pluie, la neige, le vent, le froid d'entrer dans la pharmacie. À cause de ça, la pharmacie est ouverte jour et nuit. C'est du service ! Mon petit manège dans le courant d'air a surpris quelqu'un qui me crie :

– Holà ! Pierre-Paul, que fais-tu là ?

Victor ! Quelle surprise ! Il est en ville. Je pense tout d'un coup à la lettre qu'il a expédiée à Philippe. Il traversait alors une dure période. J'espère que les choses s'arrangent pour lui. C'est tout de même curieux ! Il vient à Montréal sans avertir. Je lui demande s'il va venir coucher à la maison.

– Non, pas cette fois, dit-il. Je suis venu avec mon père. Nous sommes à l'hôtel. Tu sais que j'ai quitté le Grand séminaire. Je suis venu m'inscrire en droit à l'Université de Montréal. Cet après-midi, mon père est en réunion d'affaires, et j'en profite pour faire un tour dans le quartier où tu m'avais emmené à bicyclette. Te souviens-tu ?

Je m'en souviens très bien. Mais lui ne sait pas que j'ai écouté, alors que je faisais semblant de dormir, le récit qu'il a fait à Philippe de sa visite au 312. Je ne vais tout de même pas lui demander s'il est retourné à cette adresse. Ça ne me regarde pas. Chacun ses oignons, et l'hiver sera moins dur ! Je lui rappelle que je m'ennuie du temps où nous lisions ensemble les journaux du soir et qu'il m'expliquait ce qui se passait à la guerre. Tout seul, sans explications, ce n'est pas facile à suivre. La dernière fois que j'ai lu *La Presse*, j'étais encore plus mélangé : les Canadiens se battaient en Italie et les Allemands occupaient la France. Je n'arrive pas à comprendre pourquoi nos soldats ne combattent pas où sont les Allemands.

Voyant que j'avais envie de parler, Victor m'a invité au Dairy Parlour. J'ai pris un milk-shake au chocolat. Il a pris des nouvelles de Philippe, de ma mère et de mon père. Il semblait curieux de savoir si je conduisais toujours des gens à l'adresse où je l'avais laissé la dernière fois. J'ai jugé la question trop difficile, et j'ai changé de sujet. Nous avons fait le point sur la guerre, puis il est parti en me demandant de lui écrire pour donner des nouvelles de la famille. Écrire, mon Dieu ! J'ai essayé une fois, et j'ai trouvé ça plutôt embarrassant.

– Ne dis pas à Philippe que tu m'as rencontré, dit-il. Je passerai à la maison une autre fois.

Que de mystère ! Il est venu à Montréal en cachette. Je ne suis pas prêt à croire son histoire de visite à l'université avec son père. Je pense qu'il a une blonde à Montréal. Tout le monde me raconte des menteries. C'est peut-être pour ça que je suis porté à mentir moi-même. Il faut se défendre comme on peut.

Il pleut. Une pluie d'automne qui sent l'hiver. Je cours jusqu'au 306 Ontario. J'arrive chez Gabrielle à l'heure du souper. J'ai comme l'impression que ce n'est pas poli. Madame Landreville me tire une chaise entre Gabrielle et Yvon. Elle me sert une pleine assiette de saucisses et de patates, toutes mélangées en fricassée. Merde ! J'avais promis à Yvon d'écouter *Madeleine et Pierre* tous les soirs. Il va bien m'en vouloir. Au fait, comment se fait-il qu'il n'est pas à CKAC à cette heure ?

– Je ne suis pas de la distribution, aujourd'hui, me répond Yvon. La semaine prochaine, je joue tous les soirs. Si tu as une chance, tu viendras avec moi au studio. J'aime mieux quand il y a des spectateurs.

– Tu devrais demander à madame Sénéchal de te trouver un rôle de clown au théâtre pour enfants au parc

La Fontaine, si tu aimes tant les spectateurs, lance Gabrielle sur un ton moqueur.

Yvon se lève et tire une couette de cheveux à sa « sœur ». Madame Landreville intervient. Tout le monde rigole. L'accrochage se termine dans la bonne humeur. Je suis arrivé au bon moment. Après le repas, Gabrielle me prend par le bras et me conduit dans sa chambre. Sur le mur, au-dessus de son lit, il y a une dizaine de photos : des gars que je ne connais pas, des acteurs de cinéma, des joueurs de hockey. Les jeunes de mon âge sont plus laids que moi et les autres sont vieux. Je lui demande si tous ces types ont reçu un baiser en échange de leur photo.

– Laisse faire, dit-elle. As-tu la photo que je t'ai demandée ?

J'ai oublié de séparer les quatre photos que j'ai apportées. Je lui remets le tirage au complet. Elle les épingle à côté de Clark Gabble. Je lui fais quand même remarquer que j'ai droit à un baiser par photo. Elle me donne trois petits baisers rapides sur la bouche. Le compte y est. Je n'ai rien à dire.

En sortant de la chambre de Gabrielle, je croise Dora qui vient d'arriver. Elle extrait de sa bourse mon bulletin tout chiffonné. Ça fait au moins une semaine qu'elle le traîne avec elle.

– Tiens, p'tit frère, lance-t-elle. Je l'ai signé. Tes notes sont meilleures. Je te félicite. Continue de bien travailler. Quand tu arriveras premier de la classe, je te donnerai un beau cinq piastres.

Dora est bien généreuse, mais elle ne risque pas grand-chose. Je ne serai jamais premier de classe. Je profite de l'occasion pour lui parler du frère Émile. Je lui dis que mon professeur veut absolument qu'elle vienne le rencontrer à l'école. Je ne sais pas au juste pourquoi, mais il veut la voir seul à seule. Elle n'a pas l'air très entichée par la proposition.

– Tu diras à ton frère Émile qu'il se passe un Roméo. Je n'ai pas l'intention de le voir.

Je ne demanderai pas au frère Émile de se passer un Roméo. D'abord, je ne sais pas ce que ça veut dire « se passer un Roméo ». Lui non plus ne doit pas savoir. Mais la réponse est claire. Je me débrouillerai comme je peux.

19

Dimanche, je suis retourné au cinéma Royal, mon petit *boiler* préféré. Dans les actualités filmées, on a montré des hommes fusillés par les Allemands. C'est terrible ! Quand des résistants s'en prennent aux troupes allemandes, des dizaines de citoyens sont pris en otage et fusillés. Je suis sorti du cinéma complètement à l'envers. J'ai mal dormi. J'ai rêvé que les Allemands avaient réuni tous les hommes qui habitent dans la rue, les avaient alignés le long de la vitrine chez Dolbec et… Paf ! Paf ! Tous abattus ! Je n'étais pas du groupe, puisque j'ai tout vu de la fenêtre. Je ne sais pas si mon père et Philippe étaient parmi les otages. Par contre, j'ai bien reconnu monsieur Dolbec.

Je suis encore fatigué. La journée va être longue. L'école, les repas, le lavage… J'ai bien hâte que ma mère revienne. Je suis seul au petit déjeuner. Mon père travaille de nuit et il n'est pas encore rentré. Philippe est déjà à l'épicerie. Le pain est dur comme de la roche. Le beurre a passé toute la nuit sur la table, il doit avoir un goût de culottes de sœurs. Je bats un œuf dans un grand verre de lait. Avec le Mae West et le lait au chocolat que je piquerai dans l'armoire du frère Marois, à la récréation, je suis bon pour tenir jusqu'à midi.

Le lundi matin, l'école commence un quart d'heure plus tôt. C'est le moment de la gymnastique. En route, je m'arrête devant l'épicerie Dolbec. Il y a un attroupement monstre: des gens en pyjama, des voitures de police, le père Uzéreau, évidemment (le « fouineux » du quartier), des enfants, des femmes. Tout à coup, j'aperçois Philippe entouré de policiers. Je cours vers lui en criant: « Philippe ! Peux-tu me dire ce qui se passe ? » Il est trop occupé à parler avec les policiers pour me répondre.

– C'est comme je vous ai dit, répète Philippe. Je suis arrivé à sept heures pour ouvrir l'épicerie. La porte avait été forcée. J'ai eu peur. C'est moi-même qui l'avais barrée, le soir avant. Et monsieur Dolbec ne vient jamais à l'épicerie avant neuf ou dix heures. Donc, j'avance tranquillement et j'aperçois monsieur Dolbec, par terre, derrière le comptoir, la tête pleine de sang.

– Qu'avez-vous fait par la suite? demande un policier.

– J'ai vérifié s'il respirait encore. Il était mort. Alors, j'ai téléphoné à la police. J'ai refermé la porte et je suis monté à l'appartement avertir madame Dolbec.

– Madame Dolbec est-elle descendue avec vous ?

– Non. Elle avait trop de peine… Je suis redescendu seul pour attendre les policiers.

– Vous n'avez pas vérifié si le tiroir-caisse avait été dérobé ?

– Sur le coup, non. Je m'en suis rendu compte quand j'ai fait le tour du magasin avec un des policiers. Tout l'argent avait disparu.

– Très bien, dit le policier à Philippe. Vous allez venir avec nous au poste. Nous allons enregistrer votre déclaration.

Quand Philippe monte dans la voiture noire des policiers, je tente de lui venir en aide et je crie: « Philippe ! » Un policier me repousse gentiment et me dit que mon frère sera relâché dans quelques minutes, qu'il s'agit d'une simple formalité. C'est quoi, une « formalité » ? Ils n'ont pas le droit d'arrêter Philippe. Il n'a rien fait. Un policier demande à la foule de s'éloigner, et il barricade l'épicerie. Sur le balcon de son appartement, madame Dolbec pleure dans les bras de sa voisine. Le père Uzéreau refuse d'avancer et le policier doit le pousser avec son bâton. Au même moment, mon père arrive sur les lieux. Il vient de terminer son *shift* de nuit. Il n'est au courant de rien.

Je m'éloigne des lieux en compagnie de mon père et d'Uzéreau. Je leur raconte en détail ce que j'ai entendu. Mon père semble inquiet pour Philippe. Je le rassure. Philippe sera bientôt de retour à la maison. Nous continuons tous les trois jusqu'au restaurant chez Uzéreau. Mon père et le vieux Michel prennent un café. Je commande deux toasts avec de la confiture et un verre de lait. Je ne prends aucun risque. Je n'aurai peut-être pas l'occasion de piquer mon Mae West chez le frère Marois, je suis déjà en retard pour l'école.

– C'est un crime affreux, dit Uzéreau. Mais c'est aussi un crime étrange. Il n'y a jamais eu de cambriolage dans le quartier depuis que je tiens commerce, et ça fait plus de vingt-cinq ans. Il y a quelque chose de louche. L'assassin savait ce qu'il faisait. Il avait peut-être des comptes à régler avec Dolbec. C'est pas juste pour vider la caisse. Dolbec, comme moi, ne gardait jamais d'argent dans le cash, la nuit.

– Je suis un peu de ton avis, Michel, ajoute mon père. Le père Dolbec s'absentait souvent. Personne ne savait où il allait. J'ai l'impression qu'il avait une double vie. Je ne serais pas surpris qu'il soit mêlé à une affaire de marché noir. Il a une grosse bagnole et, malgré le rationnement, il ne manque jamais d'essence. La semaine dernière, les policiers ont saisi plus de cent mille faux coupons d'essence. Ils ont retrouvé les plaques d'imprimerie dans le lac artificiel du parc La Fontaine.

Je pense sans cesse à mon rêve de la nuit dernière. J'ai bien vu le père Dolbec se faire fusiller. C'est plus qu'une simple coïncidence. Sans doute que mon cerveau endormi envoyait des ondes à l'assassin. J'espère ne pas être accusé de complicité. Je demande à mon père et à Michel s'ils veulent que je leur raconte mon rêve. Ils ne semblent pas intéressés. Pourtant, j'ai besoin de savoir ce qu'ils en pensent. Je reviens à la charge.

– Comment se fait-il que tu ne sois pas déjà à l'école ? remarque mon père. Tu ne vas pas traîner dans les rues toute la journée. Allez, file à l'école.

– Tu me raconteras ton rêve une autre fois, ajoute Uzéreau.

Je finis de manger mes toasts et je sors. Le poste de police n'est pas loin. Je me cache dans l'entrée d'un magasin et j'attends Philippe. Je veux savoir ce que les policiers lui ont fait. Ils l'ont peut-être torturé pour le faire parler. À moi, Philippe peut tout dire. Je ne parlerai pas. J'ai comme l'impression que mon frère sait des choses qu'il ne dira pas aux policiers. Il ne faut pas tout dire aux policiers, ils font des montagnes avec rien. Philippe sort du poste de police. Il est seul. Donc, il est libre. Je le rejoins. Il est très surpris de me voir. Nous bavardons quelques minutes. Tout s'est bien passé. Quand je veux lui raconter mon rêve, il m'interrompt tout de suite.

– Ce n'est pas un rêve que je vis, dit-il. C'est la réalité. L'épicerie va rester fermée un bon bout de temps. Je n'ai plus d'emploi, plus d'argent. Je me demande ce que je vais devenir.

Je voudrais bien trouver des mots pour le rassurer, mais je manque d'arguments. Nous marchons vers la maison. Je lui dis que notre père est arrivé et qu'il l'attend. Il ne me répond pas et continue son chemin tout seul. Je l'observe de loin. Il passe tout droit devant la maison et se met à courir. Où va-t-il comme ça?

Plus les heures passent, moins j'ai envie d'aller à l'école. J'ai la tête pleine d'idées bizarres et le ventre tordu d'émotions. J'ai mal au cœur. Être surpris par un meurtre le matin en se levant, ça dérange. Et ce rêve qui ne me lâche pas... Ouf! La journée commence mal. C'est Philippe qui m'inquiète. J'espère que la police va le laisser tranquille à l'avenir. Si seulement je pouvais parler à quelqu'un. Ça me ferait du bien.

Je saute dans le premier tramway qui passe et file au 306 Ontario. Yvon et Gabrielle sont à l'école. Madame Landreville est seule. Dès que je l'aperçois, mes nerfs craquent et je me mets à pleurer. Elle me prend par le bras et me parle doucement.

– Il y a quelque chose qui ne va pas? Bon sang! Je ne t'ai jamais vu dans un état pareil.

Je ne sais pas par quel bout commencer. L'assassinat du père Dolbec, l'arrestation de Philippe, mon rêve... tout se mêle dans ma tête. Je n'aurais jamais dû venir jusqu'ici. Pauvre madame Landreville! Mes histoires ne doivent pas l'intéresser. Elle n'a jamais entendu parler du père Dolbec. Je ne me souviens pas lui avoir parlé de Philippe, sauf quand j'ai reçu ma raclée. Et je suis trop gêné pour lui raconter mon rêve.

Sur le mur de la cuisine, au-dessus d'une machine à coudre, est accroché un grand miroir. Je lève les yeux. Quand je vois ma face, j'ai du mal à me reconnaître: les cheveux éparpillés sur la tête, les yeux rouges et le nez morveux. Je n'avais pas cet air-là, ce matin, quand je me suis levé. La journée a été dure. Et si Gabrielle arrivait... Je ne veux pas qu'elle me voie comme ça. Je fais des excuses à madame Landreville et lui dis que je dois m'en aller.

– Je ne sais pas où tu vas, mais ne reste pas seul, dit-elle. Tiens, va retrouver Yvon à CKAC. Il doit déjà être en route pour son émission. Je vous attendrai pour souper, ajoute madame Landreville en me donnant une grande serviette mouillée pour me rafraîchir la figure.

Je me sens mieux. Les larmes sont retournées dans mes yeux, et mon nez est au sec. Je marche dans l'air frais de l'automne, et mes idées se replacent tranquillement. J'arrive au poste de radio juste comme le programme commence. Yvon aime bien jouer devant des spectateurs. Il devrait être content de me voir. Le personnage de Bibi est au centre des aventures de *Madeleine et Pierre*. En quinze minutes, à la radio, il a failli se faire tuer au moins trois fois. Il s'en sort toujours grâce à ses complices. Il est plus chanceux que le père Dolbec. Je suis heureux de retrouver Yvon. Il est en grande forme. Nous marchons tous les deux, rue Sainte-Catherine. Il me parle de ses projets : une pièce de théâtre, une autre émission pour enfants et peut-être un vrai film comme on en voit au cinéma. C'est excitant ! Comme tous les acteurs, il parle… il parle…, mais n'écoute pas. Il est sur l'erre d'aller des aventures qu'il vient de vivre à la radio. Moi, je suis toujours embourbé dans mes aventures de la journée. Je pense au message de l'annonceur à la fin du programme de *Madeleine et Pierre* : « Ne manquez pas les aventures de P.-P., demain, à la même heure, au même poste. » Nous arrivons en face du 306 Ontario. Yvon insiste pour que je reste à souper. Le souvenir de ma visite à madame Landreville, il y a un moment, me reste en travers de la gorge. Je préfère rentrer et voir ce qui se passe à la maison.

En fait, il ne se passe pas grand-chose. Mon père et Philippe sont en grande conversation dans la cuisine. Il semble bien que je ne sois pas invité à me mêler à l'échange. Le souper n'est pas prêt, comme d'habitude. Je me tartine, discrètement, un sandwich au beurre de *peanuts* et je me retire dans ma chambre. Cette nuit, je vais essayer de rêver à autre chose.

20

Tous les jours, depuis une semaine, le frère Émile me parle de ma grande sœur. Il insiste sans cesse pour que Dora (ou Dorothée) vienne à l'école. J'ai envie de lui suggérer de se « passer un Rodéo », comme dit Dora. J'hésite. D'abord, je ne suis pas certain que « Rodéo » est le vrai mot ; puis, je ne sais toujours pas ce que ça veut dire. Je ne comprends pas l'acharnement du frère. J'ai remis mon dernier bulletin signé, et mes notes se sont beaucoup améliorées. Il devrait s'arrêter là. Au contraire, il pousse son entêtement jusqu'à déranger mon père et les voisins.

– Dubois, retourne à ta place, lance le frère Émile. Aujourd'hui, l'école n'est pas finie pour toi. J'ai à te parler. Espèce de petit effronté ! Tu m'as menti ! Je suis allé chez toi et j'ai parlé à ton père. Tu n'as jamais eu de sœur. J'ai aussi rencontré le gros Roma, ton voisin. Il me dit qu'il n'a jamais vu de fille chez toi. Je veux la vérité.

Si je dis la vérité, je passe pour un menteur (aux yeux du frère) ; si j'invente une histoire, je sauve la face (la mienne). J'aime bien inventer des histoires. C'est comme au cinéma : des images apparaissent, on les fait bouger, puis on ajoute des mots pour compléter l'histoire. J'explique au frère Émile que Dora s'est disputée avec mon père, il y a déjà plusieurs années (le gros Roma n'est pas au courant). C'est une histoire bien triste. Elle est partie et n'est jamais revenue à la maison. Mon père l'a reniée. Pour lui, Dorothée n'existe plus. Si quelqu'un lui parle de sa fille, il répond toujours : « Je n'ai jamais eu de fille. » Je suis le préféré de Dora. La seule personne de la famille qu'elle accepte de voir. Même moi, je ne peux pas la rencontrer quand je veux. C'est une femme d'affaires très occupée. Il me reste justement quelques cartes d'affaires « MISS DORA ». J'en donne une à mon professeur. Je l'avertis que, s'il est chanceux, il pourra la trouver à cette adresse.

Le frère Émile semble enchanté. Il glisse la carte dans la poche de sa soutane et me laisse partir. Donc, il a cru mon histoire. Je pense qu'il l'a crue parce que ça fait son affaire. Tant mieux ! J'aurai la paix pour quelque temps.

Je passe devant chez Uzéreau. J'aperçois deux colosses en imperméable qui sortent du restaurant. On dirait deux policiers comme au cinéma. J'entre dans le restaurant. Je sais que le vieux Michel ne vend pas de céréales. Comme l'épicerie Dolbec est fermée, je fais semblant de chercher des Corn Flakes.

– Ne fais pas ton hypocrite ! Qu'est-ce que tu veux ? me demande Uzéreau.

Je lui signale que je viens d'apercevoir deux policiers sortir de chez lui. L'affaire Dolbec m'intéresse. J'aimerais bien savoir s'il a des nouvelles de l'assassinat. Il est tellement mémère qu'il se fera sûrement un plaisir de me raconter ce qu'il a appris.

– Tu sais que l'enquête dans une affaire de meurtre est très secrète, dit-il avec un sourire. Je ne peux pas parler. Mais si tu sais garder ta langue…

Il ne peut pas parler…, mais il parlera quand même ! Je le sais. Il est incapable de garder un secret. C'est une vraie toupie bavarde. Je lui jure que je ne répéterai à personne ce qu'il me dira. Je suis la seule personne à qui il peut tout raconter. Les autres vont le trahir. De toute façon, les gens ne m'écoutent jamais.

– L'enquête n'est pas très avancée, avoue Michel, en baissant le ton. Les policiers n'ont pas encore trouvé l'arme du crime. Ils recherchent des témoins et interrogent tout le monde dans le quartier. Madame Dolbec est à l'extérieur de la ville. Ils attendent son retour pour la cuisiner. Le père Dolbec a été assassiné d'un coup à la tête. L'idée d'un règlement de compte n'est pas écartée. Je vais en apprendre plus dans les prochains jours. J'ai invité les policiers à venir prendre leurs repas au restaurant. Je ne leur charge rien. C'est gratuit. Je pense qu'ils vont venir.

Le vieux Uzéreau est une bonne source de renseignements. Je lui demande si je peux repasser pour discuter de cette affaire avec lui. Au début, il paraît hésitant, mais, en insistant, il me répond que je serai toujours le bienvenu, à condition que je continue de retenir ma langue. Pas de problèmes. C'est une affaire entre lui et moi. En échange, je propose de lui raconter le rêve que j'ai fait, la nuit du meurtre. Depuis le temps que je cherche quelqu'un qui va m'écouter. Au début, Uzéreau ne prend pas mon histoire au sérieux. Quand je lui dis que j'ai vu, dans mon rêve, les Allemands fusiller le père Dolbec devant sa vitrine, c'est une autre histoire. Il est secoué. Je crois que je lui ai fait peur.

– Je suis convaincu que les rêves annoncent le malheur. C'est prouvé. Est-ce que j'étais dans ton rêve? Est-ce que j'ai été fusillé avec les autres?

Si je veux que le père Michel continue à me faire confiance, je dois l'intéresser à mon histoire. Je lui parle tout bas, comme si c'était un secret. En effet, je l'ai vu se faire fusiller devant la vitrine du père Dolbec... (je triche, c'est évident). Je l'ai vu râler, le sang lui coulait de la bouche, et, comme il ne tombait pas, les Allemands ont tiré de nouveau…, puis je me suis réveillé.

– C'est terrible ! Tu as fait ce rêve juste au moment où le meurtre s'est produit, dit Michel. Ça veut dire que j'aurais pu être assassiné en même temps que le père Dolbec. Si jamais tu rêves à des horreurs semblables, promets-moi de venir m'en avertir aussitôt.

Mon plan a marché. Il désire que je revienne lui parler de mes rêves ; en retour, il me dira ce qu'il sait de l'enquête des policiers.

Je rentre à la maison. Je suis seul. Il y a menace de grève aux Shops Angus, et mon père est en réunion à l'usine. Philippe est sûrement à la taverne Caprice, comme tous les jours depuis que l'épicerie est fermée. Dans un coin de la cuisine, il y a un immense tas de linge sale. Si je ne m'en occupe pas, personne ne le fera. Je traîne la machine à laver au milieu de la place. Je fais chauffer de l'eau dans le *boiler* et je fourre le linge sale dans la machine. Je sais comment m'y prendre. J'ai souvent vu ma mère se morfondre les lundis de lavage.

Je dois monter sur une caisse en bois pour rejoindre la corde à linge. À cause du froid sec de novembre, les doigts me gèlent. J'ouvre les épingles avec mes dents. Merde ! J'échappe le caleçon Penman de mon père. En descendant le ramasser dans la cour du voisin d'en bas, je croise madame Lupien. Elle s'offre à m'aider. Ça fait mon affaire. Elle va pouvoir ouvrir mes épingles à linge avec ses gros doigts dodus.

– J'ai eu des nouvelles de ta mère, dit madame Lupien. Je voulais vous en parler, mais ton père et ton frère sont rarement à la maison. D'après ce qu'elle m'a dit, elle devrait être à la maison pour la période des fêtes. Sa santé est assez bonne pour reprendre ses activités. Je sais aussi qu'elle s'ennuie de vous. Je vais lui téléphoner pour en savoir davantage. Je vous reviendrai avec des nouvelles fraîches.

C'est encourageant. J'ai bien hâte que ma mère revienne. Ça va mettre un peu de vie dans la maison. Nous finissons le lavage, et madame Lupien m'invite à souper. Je retrouve toute la famille : le père, inspecteur des tramways, les trois fils, l'un étudiant à l'université, et les deux autres, travailleurs en chemise blanche et cravate. Ils discutent entre eux de choses intéressantes. Quand ils parlent de la guerre en Europe, j'ouvre les oreilles bien grandes. Des fois, il m'arrive de manquer des grands bouts de la conversation. Ça fait rien. Je me sens bien entouré. Ils sont tous gentils avec moi.

Une grande famille et une grande maison, quel beau rêve ! Ce soir, avant de m'endormir, je vais penser très fort au souper que je viens de vivre. Je vais peut-être faire un beau rêve.

21

Depuis que j'ai remis la « carte d'affaires » de Dora au frère Émile, c'est la grande paix à l'école. Pas de leçons à réciter, pas de devoirs à la maison et cent pour cent sur toutes les lignes de mon bulletin. Le frère a l'air de filer un mauvais coton. Je ne sais pas pourquoi. Si j'essaie de lui parler, il tourne la tête. Pourtant, il n'est pas fâché contre moi. Hier, c'était le dernier jour de classe avant les vacances de Noël. Le frère s'est planté en haut de sa tribune, devant tous les élèves, et il a donné les notes de chacun pour le mois de décembre.

– Le premier de classe, ce mois-ci : Pierre-Paul Dubois, dit-il. C'est peut-être une surprise, mais c'est un fait.

Je me lève sous les rires de mes compagnons. Le frère Émile épingle sur mon chandail de laine rouge une belle médaille dorée : deux petites chaînes accrochées à un livre ouvert où il est écrit : *Cum Laude*. Je ne sais pas ce que veut dire l'inscription, mais je suis fier de ma breloque. Le professeur ne me félicite pas. Ce n'est pas important. Je retourne à ma place et je caresse du bout des doigts ma nouvelle décoration.

À la maison, c'est la fête. Pépé Léon vient reconduire ma mère pour la période des fêtes. Tout le monde s'en réjouit. Même Philippe semble de bonne humeur. Le grand-père a remplacé son boudin habituel par une grosse cruche de vin Saint-Georges. Ma mère est vraiment heureuse de nous retrouver. L'air de Mont-Laurier lui a peut-être fait du bien, mais elle est toujours aussi maigre et elle tousse sans arrêt. Mon père a mis son habit du dimanche (même si c'est vendredi), sa chemise blanche et sa cravate bleue. Nous sommes tous assis autour de la table. Pour une fois, Philippe se montre serviable. Il brasse le feu et vide une pleine chaudière de charbon dans la fournaise. Ouf! Il commence à faire chaud. Si personne ne remarque ma médaille, je vais enlever mon chandail de laine rouge.

Pépé Thouin débouche la cruche de vin et il en verse un grand verre à tout le monde (sauf un petit verre pour moi). Nous buvons à la santé de ma mère. Ouais! Drôle de santé. Elle a encore les yeux cernés. Pépé nous raconte comment ma mère a été bien traitée à Mont-Laurier : les meilleurs médecins, radiographies des poumons, foie de veau presque tous les jours (pouah!) et le grand air des montagnes. Mon père ramasse toutes les nouvelles des derniers mois : la menace de grève aux Shops Angus, le pâté chinois de madame Lupien, la visite de Victor à la maison au mois d'août, une première neige le jour de la Sainte-Catherine..., mais pas un seul mot de l'assassinat de monsieur Dolbec. Je trouve que c'est une grosse nouvelle. Je vais en parler. Comme j'ouvre la bouche pour dire qu'il y a eu beaucoup d'action dans le quartier..., Philippe me coupe la parole :

– En fait, les Otorino ont déménagé à Saint-Léonard, dit-il en me fixant d'un œil qui veut dire : « Ferme ta gueule ! »

J'ai compris. Je ne dirai plus rien du reste de la journée. De toute façon, on me laisse jamais parler, au cas où je dirais des sottises. Mon père et Philippe sont toujours mal à l'aise de parler de la mort de monsieur Dolbec. C'est peut-être parce que mon frère a perdu sa job. Mais moi, je pense que c'est à cause de la veuve Dolbec. Mon père aimerait mieux qu'elle vende l'épicerie et qu'elle déménage, mais Philippe espère qu'elle va le garder comme gérant. C'est le genre de discussion que mon père et Philippe ont eu l'autre soir, après le souper. Si je n'ai pas la chance de parler, j'ai au moins l'occasion d'écouter ce qui se dit à la maison.

Pépé Léon est retourné à Mont-Laurier, et madame Lupien est venue nous inviter à réveillonner chez elle, après la messe de minuit. Ma mère a remis son tablier, mon père est allé travailler, Philippe est sorti rejoindre sa gang et moi, je continue à m'ennuyer en attendant que Noël arrive. Je n'ai plus d'amis dans le quartier. Même Henri-François Otorino est déménagé. Je ne peux pas être toujours chez les Landreville. Ils vont me trouver fatigant.

Il neige depuis hier matin. Ça tombe bien. Je vais me faire quelques sous. Je prends ma pelle (c'est la pelle de la famille, mais il n'y a que moi qui s'en sers), et je monte la rue qui va jusque dans les beaux quartiers d'Outremont. Je choisis les maisons les plus riches. Je sonne à la porte et je m'offre à pelleter l'entrée pour vingt-cinq cennes. Une fois sur trois, on accepte ma proposition. Si je sonne à neuf portes, je me fais soixante-quinze cennes. Ça, c'est de l'arithmétique. Si je ne me débrouille pas, je n'ai rien. Ça, c'est de la logique.

De retour à la maison, je croise le facteur. Il n'est pas de bonne humeur. Il a deux gros sacs de courrier autour du cou, et il a tout le mal du monde à mettre les cartes de Noël dans les petites boîtes à malle. Ce n'est pas nous qui lui causons le plus de travail. Il me remet trois cartes pour la famille. Oh ! Une est adressée à moi personnellement. Je la retourne dans tous les sens, et je lis le nom deux fois pour être bien sûr que c'est: *Pierre-Paul Dubois.* Pas d'erreur. C'est moi. Je l'ouvre tout de suite. Apparaît l'image d'un bonhomme de neige avec un foulard rouge autour du cou, une carotte à la place du nez et un chapeau melon. C'est imprimé: *Joyeux Noël et Bonne Année*, puis écrit à la main, en dessous: *Nous t'attendons pour fêter le nouvel An avec nous, au 306 Ontario, le 31 décembre. Passe un joyeux Noël. À bientôt, Yvon au nom de toute la famille.*

Je suis tout excité. Une veille du jour de l'An chez les Landreville! Il va y avoir du monde: Dora et ses amies, le superbe Marcel avec sa Cadillac blanche, Yvon, Gabrielle ainsi que les cousins et cousines Landreville. Enfin, une grosse famille. Je sens que je ne vais pas m'ennuyer. Je profite du moment où je suis seul avec ma mère pour lui en parler. Elle ne connaît pas les Landreville, mais elle est bien d'accord. De toute façon, me dit-elle, nous n'avons rien de prévu pour fêter le nouvel An. Ça se passera comme les années passées: on écoute à la radio, en pyjama avec un verre de Kik, le programme *Direct From Hollywood.* C'est en anglais, et je ne comprends rien. Mon père rit des blagues qu'on raconte, mais si je lui demande de me les traduire, il ne me répond pas. Peut-être qu'il ne les comprend pas lui non plus. Philippe ne rit pas. Il met du rhum dans son Kik et va le boire en cachette. À minuit cinq, on s'embrasse, on se souhaite la bonne année, puis on va se coucher. Le lendemain matin, ça repart pour un autre douze mois.

Heureusement, cette année on a réussi à sauver le réveillon de Noël. Après la messe de minuit, nous fêtons chez les Lupien. Il y a de la dinde avec des atacas, un gâteau à la crème en forme de bûche, des assiettes pleines de jujubes et des pères Noël en chocolat. Tout ce qu'il faut pour avoir mal au cœur pendant la nuit. Ma mère n'a presque rien mangé. Elle est revenue de Mont-Laurier avec une photo de ses poumons, mais elle a perdu son appétit. Je reçois en cadeau, de mes parents, un hockey et une rondelle avec l'écusson du club Canadien ; Philippe, une paire de gants de laine et une tuque bleu-blanc-rouge (s'il va sonner au 312 Ontario avec ça sur la tête, il va faire rire de lui). La famille Lupien nous donne, à Philippe et à moi, un beau jeu de poches en *plywood*. Tout le monde finit la soirée par un tournoi de poches. C'est Joseph Lupien, le plus vieux de la famille, qui a gagné le tournoi. Il a ramassé 780 points. Je suis arrivé le dernier : 35 points. Nous rentrons à la maison, heureux et comblés.

Le lendemain matin, je vais souhaiter un joyeux Noël au père Uzéreau. Je veux surtout savoir s'il a des nouvelles de l'enquête policière. Rien de nouveau. C'est la période des fêtes, les policiers sont en congé. Uzéreau continue à ouvrir l'œil. Il fait sa petite enquête de vieux « fouineux ».

– Je vais en savoir plus d'ici quelques jours, dit-il. En attendant, la veuve Dolbec est de retour. Je l'ai vue à la messe de minuit, toute vêtue de noir. Je me demande combien de temps elle va porter le deuil.

Les jours suivants sont ennuyeux. J'étrenne mon hockey et ma rondelle à la patinoire du parc Saint-Michel. Pas longtemps. Je n'ai pas de patins, et le gardien du parc me demande d'aller jouer ailleurs. Le hockey bottine n'est pas permis. Je joue alors dans la rue, mais je perds ma rondelle dans un banc de neige. Je la cherche partout. La noirceur arrive, et c'est perdu pour de bon. Je rentre à la maison la tête basse. Je ne dis rien à personne. J'irai voir un autre jour, à la clarté.

Enfin, c'est le 31 décembre. Je me prépare pour le réveillon. Les *barbershops* sont fermées la veille du jour de l'An. Ma mère me coupe les cheveux. Je me regarde dans le miroir. Ça peut aller. Je mets mon plus bel accoutrement, et j'accroche ma médaille *Cum Laude*.

Ma mère remarque ma décoration. Je lui explique que je suis, pour une fois, le premier de ma classe. Elle me félicite et m'embrasse sur les deux joues. Il commençait à être temps que quelqu'un reconnaisse mes succès scolaires.

J'ai tellement hâte au réveillon que j'arrive chez les Landreville à sept heures et demie. C'est trop tôt. Je sens que je dérange. J'ai même envie de partir et de revenir un peu plus tard. Yvon a tout compris. Il m'enlève ma tuque et mon manteau, puis m'entraîne dans sa chambre. Nous allons jouer à la guerre avec ses soldats de plomb jusqu'à l'arrivée des premiers invités.

Vers onze heures, la trâlée des filles du 312 arrive, toutes pomponnées et passablement éméchées. Elles étaient là au *party* d'Yvon. J'en reconnais quelques-unes : la grosse Pauline, Gertrude aux-grands-pieds, madame Sénéchal, la professeure de diction, et Liza la noir-corbeau. Ça commence à faire beaucoup de monde. Gabrielle est occupée dans la cuisine. Je lui demande si elle veut me souhaiter la bonne année. Elle me répond qu'il est trop tôt. Je comprends que c'est de bonne guerre, mais elle pourrait faire un petit effort. Après tout, c'est le temps du jour de l'An.

Dora arrive, accompagnée de son Marcel, un peu avant minuit. Elle est emballée dans une belle robe rouge, trop courte pour cacher ses cuisses et trop serrée pour cacher ses fesses. Elle a dû prendre un modèle trop petit pour elle. Dora fait le tour des invités, tandis que Marcel transporte les sacs et les boîtes de cadeaux. Tout le monde se retrouve au salon. Ça boit, ça chante, ça danse le *jitterbug*. Trois choses que je n'arrive pas encore à maîtriser. Je me sens un peu perdu, jusqu'au moment où Dora m'aperçoit derrière la cloison du salon double.

– P'tit frère ! Je suis bien contente de te voir. Qu'est-ce que tu portes, là, sur ton chandail. C'est une médaille ?

Ça, c'est Dora ! Elle voit tout. Elle a toujours le mot qui fait plaisir. Eh oui ! Je lui annonce que je suis premier de classe, que j'ai de bonnes notes et que le frère Émile a cessé de me crier après. J'en profite pour la remercier de tout ce qu'elle a fait pour moi. Je voudrais lui dire que je l'aime comme ma grande sœur préférée, mais je n'ose pas.

– Je ne suis pas surprise que les choses s'arrangent pour toi à l'école, dit-elle. J'ai eu la visite du frère Émile. Il est venu au 312 avec ma carte personnelle. J'ai bien ri. Je me suis dit : « Ça, c'est un coup du p'tit frère ! » Je peux te dire que nous l'avons bien reçu, ton professeur. On s'est mises à trois filles, puis on lui a fait la « passe de l'oncle Antoine ». Il est parti pas mal échevelé, la soutane sous le bras, le souffle court et les culottes en bas de la ceinture. Il a eu l'air d'aimer ça. Il est revenu trois jours plus tard. Là, je lui ai parlé. J'ai dit : « Si tu n'aides pas mon p'tit frère à l'école, on te la coupe en trois morceaux. » Puis, on lui a fait une autre « passe de l'oncle Antoine ». Je l'ai mis à la porte en l'avertissant : « C'est la dernière fois que c'est gratuit. La prochaine fois, ça va te coûter au moins vingt piastres pour le même traitement. »

Pauvre frère Émile ! Je comprends pourquoi il ne me parle plus. Ça explique aussi mes succès du mois de décembre. Je ne sais pas ce que veut dire la « passe de l'oncle Antoine », mais ça doit être efficace. *Shit !* Si Dora a mis le frère à la porte du 312 au mois de décembre et qu'il ne peut plus la voir, j'aurai pas de bonnes notes au mois de janvier. Dora me prend par la main et m'entraîne au milieu du salon.

– Un moment d'attention, s'il vous plaît ! Mon p'tit frère est maintenant un premier de classe, lance Dora. Il a droit à toute notre affection en ce dernier jour de l'année. Allez, Gabrielle, viens embrasser mon p'tit frère !

Gabrielle ne se fait pas prier plus longtemps. Je reçois un beau baiser, bien placé et plus long que celui de la dernière fois. Tout le monde applaudit. Un peu avant minuit, Marcel, Dora et les autres distribuent des tas de cadeaux. Je reçois de Dora une belle plume *fountain*. Ça va faire l'envie de mes camarades de classe. Je reçois aussi le cinq piastres qu'elle m'a promis si j'arrivais premier de classe.

À minuit pile, tout le monde crie : « Bonne Année ! » J'ai droit à un autre baiser (du jour de l'An cette fois) de la part de Gabrielle. Quand madame Landreville éteint les lumières et allume les chandelles sur l'immense gâteau du nouvel An, j'en profite pour prendre Dora par le cou et l'embrasser sur les joues. Cette fois, je n'hésite pas et je lui dis tout bas : « Dora, je t'aime beaucoup ! » Je crois qu'elle a versé quelques larmes, le long de ses joues.

22

C'est la fin du congé des fêtes. Mes étrennes sont dispersées. En jouant dans la rue, j'ai brisé la palette de mon hockey sur un bloc de glace, je n'ai jamais retrouvé ma rondelle du club Canadien, les pochettes de sable du jeu de poches sont percées et le sable a pris le bord de la poubelle. Ma mère est prête à coudre de nouvelles pochettes, mais c'est pas facile de trouver du sable au mois de janvier pour les remplir. Ma plume *fountain* est remisée dans une boîte sous le lit. Mon père m'a conseillé de ne pas l'apporter à l'école, de peur de me la faire voler. La vie ressemble beaucoup à ce qu'elle était avant Noël.

Aujourd'hui, c'est le retour à l'école. Le frère Émile doit m'attendre de pied ferme. Je m'attends à passer un mauvais quart d'heure. J'aurai bien du mal à garder ma médaille au mois de janvier (à moins que le frère trouve vingt piastres pour retourner au 312). Dans la cour d'école, je retrouve mes camarades de classe. Chacun se vante de ses cadeaux de Noël. Le gros Lauzon a reçu un train électrique avec au moins quarante pieds de rail. Il exagère. Le pouilleux de Martel porte toujours le même chandail du club Canadien et sent le cheval à plein nez (il demeure juste à côté d'une écurie). Au moins, lui, il ne se vante pas. Il n'a rien reçu à Noël.

Je rentre en classe la tête basse. Je me dirige à mon pupitre. Ça sent le renfermé, les « aiguisures » de crayons et la poussière de craie. Le professeur est absent. C'est le directeur de l'école qui nous accueille. Il est accompagné d'un frère que je vois pour la première fois.

– Mes chers enfants, je vous souhaite la bienvenue, dit le directeur. Je vous présente le frère Albert. C'est lui qui remplace le frère Émile pour le reste de l'année scolaire. C'est un professeur d'expérience. Je demande votre collaboration. Bonne chance.

C'est tout un choc ! Je n'ose pas lever la main et demander où est le frère Émile. Ça ne me regarde pas, même si je me doute de ce qui lui est arrivé. Pauvre frère Émile ! Il doit être dans de beaux draps. Et le directeur a bien dit : « … pour le reste de l'année scolaire ». Ça signifie qu'il ne reviendra pas. Je me demande où il est passé. J'espère qu'il ne s'est pas suicidé.

À la récréation, je traîne autour de l'armoire à friandises du frère Marois. C'est là qu'on trouve du lait au chocolat et des gâteaux. Le vieux Marois est un ancien professeur à la retraite. Il est presque aveugle et à moitié sourd. Sa seule fonction consiste à vendre des cochonneries aux élèves à la récréation. Il aime placoter avec eux. Le plus souvent, il oublie de se faire payer. J'achète un Mae West et un demiard de lait au chocolat. Je lui demande s'il a passé de belles fêtes et j'en viens rapidement au fait. Est-ce qu'il a des nouvelles du frère Émile ?

– Le frère Émile ? Justement, il n'enseigne plus, je crois. Il a quitté l'école durant les fêtes, dit-il. J'ai entendu dire qu'il n'était pas très bien. Le directeur l'a envoyé se reposer à la maison provinciale, à Joliette. C'est une bien triste histoire. Je n'en sais pas plus, mais je pense qu'il ne reviendra plus à Montréal.

Le cas du frère Émile est bien réglé. Dora a eu sa peau. C'est un peu la faute du frère. Il n'aurait pas dû me tracasser. Bien sûr, si ma mère n'avait pas été à Mont-Laurier, les choses se seraient passées autrement. C'est elle qui serait venue à l'école, et le frère Émile aurait sauvé sa peau. J'espère qu'il va s'en sortir.

Ça bouge dans le quartier. L'épicerie Dolbec est rouverte. Ça va ramener les policiers dans le coin. C'est surtout Philippe qui m'inquiète. Depuis l'assassinat de l'épicier, la voisine des Dolbec, à l'étage au-dessus, est déménagée. La veuve fait maintenant tout pour installer mon frère dans l'appartement vide. Elle a acheté des meubles et effectue un grand ménage. Philippe joue les hypocrites. Chaque nuit, mine de rien, il transporte ses affaires dans son nouveau logis. J'ai regardé sous le lit. Il ne reste plus qu'une seule boîte qui lui appartient. Tout se déroule en douce. Mes parents n'ont encore rien dit. Mon père est fatigué, et ma mère est aussi malade qu'avant son voyage à Mont-Laurier. Philippe va bientôt quitter la maison pour être plus près de son travail. C'est ce que je pense.

Tout le monde sait que Philippe est le gérant de l'épicerie. On ne voit jamais madame Dolbec au magasin. Tout se passe comme si mon frère était le propriétaire. Il a même engagé un jeune commis pour l'aider. Il a sorti la voiture des Dolbec du garage, une Dodge 1935, et il suit des cours de conduite dans les rues du quartier. Un vrai scandale ! Après tout ce qui est arrivé, Philippe ferait mieux de se tenir tranquille.

L'auto, l'appartement..., c'est la grande vie ! Chaque fois que je vais faire des commissions à l'épicerie, j'examine Philippe des pieds à la tête. Des souliers neufs, une belle chemise blanche avec une boucle rouge, des pantalons fraîchement repassés (c'est sûrement pas lui qui les repasse), et les jours de grand froid, un beau capot de chat sauvage. C'est le capot du père Dolbec. Tout le monde le pense. Tout le monde pense aussi que la veuve

Dolbec se remet assez vite de la mort de son mari. Philippe n'a rien à voir là-dedans, mais il en profite, c'est tout.

Je vais manger une frite chez Uzéreau. Il n'a toujours pas de nouvelles au sujet de l'assassinat de l'épicier. Le vieux Michel me demande si j'ai fait de nouveaux rêves. Comme la dernière fois, il croit que mes rêves annoncent des événements qui concernent le quartier. Moi, je veux bien, si ça peut l'encourager à me dire ce qu'il sait du meurtre. Et si je n'ai pas rêvé depuis la dernière fois, ça fait rien. Je peux en inventer. De préférence un rêve qui fait peur et qui l'énerve.

– Je me souviens de ton dernier rêve, celui où les Allemands fusillent tout le monde dans le quartier. Ça m'a foutu une sainte trouille. La nuit, je me réveille tout en sueur. Mais je me suis acheté un bon fusil de chasse et je me propose d'avoir un gros chien policier. Surtout que ton dernier rêve s'est réalisé.

Je vois qu'il est prêt à faire face à n'importe quoi. J'invente un rêve atroce :

– Au petit matin, cinq gros camions s'arrêtent devant votre restaurant. Il est rempli de dizaines de prisonniers qui se sont échappés de Bordeaux durant la nuit. Ils portent l'habit des prisonniers, un costume gris rayé de noir, et sont armés de mitraillettes. Ils saccagent tout sur leur passage, défoncent les vitrines de votre restaurant, mettent le feu chez Dolbec et kidnappent la veuve Dolbec. Juste au moment où un des prisonniers vient pour mettre le feu chez vous, on entend les sirènes des policiers. Les prisonniers sautent dans les camions et disparaissent au prochain coin de rue. Des voitures de police arrivent et encerclent votre maison. Les policiers descendent dans la rue, armés jusqu'aux dents. Ils sont à la recherche des prisonniers évadés. Soudain, vous apparaissez à la porte. Vous êtes vêtu d'un pyjama gris rayé de noir, comme l'habit des prisonniers. Les policiers vous sautent dessus et vous embarquent. Tout le monde dans le quartier se met à applaudir…

– Mais c'est terrible ! Et après, qu'arrive-t-il ? demande Uzéreau.

J'essaie de lui expliquer que je me suis réveillé à ce moment-là. Il ne veut rien entendre. Il veut savoir ce qui va lui arriver. Mon invention manque de souffle. Je n'arrive pas à forger une suite. Je lui promets de revenir avec d'autres rêves et peut-être avec une fin plus rassurante. Il est troublé par mon récit.

– Je suis certain que je vais me faire attaquer un jour, dit Uzéreau. La ville est pleine de bandits qui assassinent les braves gens. En tout cas, je vais me protéger. Le premier « flapzo » qui se présente, je le tire à bout portant.

Je le laisse avec ses idées noires et son nouveau fusil de chasse. Il ferait mieux de ne pas trop parler. Les gens vont le prendre pour un meurtrier. Je reviendrai une autre fois prendre des nouvelles de l'enquête.

Je passe à l'épicerie chez Dolbec. J'espère que Philippe me dira ce qu'il a appris de nouveau au sujet du meurtre de son ancien patron. Il n'y a pas de clients dans le magasin. Mon frère est seul. Appuyé sur le comptoir, il lit le journal.

– C'est effrayant ! Il y a eu un incendie au 312 Ontario, dit-il. Une femme a mis le feu. Elle a échappé un mégot de cigarette en nettoyant les lits avec de l'alcool. Les pompiers et les policiers ont envahi la place. Il n'y a pas eu beaucoup de dégâts, mais la maison est fermée. Tu parles d'une histoire ! Tiens, je te laisse le journal. Tu liras ça.

J'attrape le journal et je cours jusqu'à la maison. Je tourne toutes les pages. Je suis tellement énervé que je ne trouve rien. Je recommence. Enfin, je tombe sur le titre : « Incendie, rue Ontario ». L'article ne compte qu'une dizaine de lignes. Je n'en sais pas plus. Je suis inquiet pour Dora. J'espère seulement qu'elle était absente.

Le lendemain matin, c'est samedi. Je saute dans le tramway et je me rends au 306. Les Landreville sont débordés. Il y a eu des dégâts d'eau. La tapisserie du passage est décollée, et les meubles du salon sont tassés dans un coin. Yvon et Gabrielle sont à quatre pattes dans la cuisine avec des linges et des chaudières. L'eau coule encore le long des murs.

– Salut, P.-P. ! Tu arrives au bon moment, dit Yvon. Prends la *mop* qui est là et viens nous aider. Les maudits pompiers ! Ils ont arrosé le 312 comme si toute la maison était en feu. Ça coule partout depuis trois jours. Tout ce grabuge pour un simple lit en feu. Ils ont fait exprès.

Je prends la *mop* et commence à frotter le plancher de la cuisine. Gabrielle vient m'aider à tordre la vadrouille dans le lavabo. Elle me sourit, mais ne me parle pas. Ce n'est pas le moment de faire la conversation. À cause de ses jambes, madame Landreville est assise et nous regarde éponger. Le travail avance bien. En fin d'après-midi, l'eau a cessé de couler. Nous replaçons quelques meubles. Je n'ai toujours pas de nouvelles de Dora. Yvon veut me montrer sa chambre. Les dégâts sont limités à un peu d'eau le long des murs, et son armée de soldats de plomb a été épargnée. Je commence à m'impatienter. Je veux savoir ce qui est arrivé à Dora.

– Dora ? Elle n'a pas été chanceuse. Elle était au 312 quand l'incendie s'est déclaré. Le pire, c'est que les policiers ont décidé d'accompagner les pompiers. Ils ont fait une descente. Dora a été arrêtée en même temps que d'autres filles. Le lendemain matin, elle est passée en cour et a été condamnée à faire un mois à Fullum. Ma mère dit que c'est une bonne chose. Dora souffre d'une « maladie pas très catholique ». Et Fullum, c'est pas juste une prison, c'est comme un hôpital. Il y a des bonnes sœurs qui soignent cette sorte de maladie. Dans un mois, quand elle sortira, elle sera complètement guérie. De toute façon, le 312 est fermé durant cette période pour faire du nettoyage.

Une « maladie pas catholique... » Yvon dit qu'il ne sait pas ce que c'est. Sa mère n'a pas voulu lui donner plus de détails. Chose certaine, si elle est guérie dans un mois, c'est peut-être moins « catholique » que la maladie de ma mère, mais c'est plus encourageant. Yvon ne sait pas non plus si nous pouvons lui rendre visite. J'attendrai un mois comme tout le monde.

23

Je profite d'une journée de congé pour aider ma mère à faire le grand ménage du printemps : enlever les châssis doubles, nettoyer le tuyau de la fournaise (et toute cette suie qui me colle dans la face), laver les plafonds avec de la jute (et toute cette chaux qui me tombe dans les yeux), puis chauler ces mêmes plafonds avec un « blanchissoir ». C'est pas un beau congé ! D'habitude, c'est mon père et Philippe qui font ce travail. Cette année, les chars d'assaut des Shops Angus et la veuve Dolbec ont mobilisé le reste de la famille. Après le nettoyage chez les Landreville, c'est ma semaine de corvée.

Ma mère n'est pas très forte. Elle a encore maigri. Si ça continue, elle va repartir pour Mont-Laurier. Pépé Léon n'est pas venu à la maison depuis décembre dernier, et ses enveloppes pleines d'argent commencent à manquer. À part la nourriture, on dépense rien à la maison. J'aimerais bien avoir une bicyclette, mais ça coûte trop cher. Si la guerre peut finir, peut-être que mon père gagnera plus d'argent. Monsieur Lupien, à Noël, a dit à mon père qu'il le ferait engager comme conducteur de tramway. Ce serait formidable ! Il aurait un bel uniforme et voyagerait gratuitement.

Je viens de blanchir le dernier plafond. Je suis tout couvert de chaux. Ma mère est allée se reposer. Je reçois la visite de deux policiers en civil. Ce sont les mêmes que j'ai croisés, au mois de novembre, alors qu'ils sortaient de chez Uzéreau. Ils veulent sans doute parler avec Philippe.

– Je me présente, dit le plus vieux des deux: Ubald Pagé, du Service de la police de Montréal, mon collègue, Xavier Chouinard. Nous aimerions parler à tes parents.

Je lui explique que mon père travaille, ma mère est malade et que Philippe est sorti. Si c'est au sujet de l'accident du père Dolbec, mon frère a déjà tout raconté à la police.

– Nous aimerions quand même te poser quelques questions. Tu es bien Pierre-Paul Dubois, le frère de Philippe Dubois. Sais-tu où était ton frère dans la nuit du 16 au 17 novembre dernier?

Il était dans son lit. Je le sais parce que nous partageons la même chambre et le même lit depuis des années. Il vient toujours se coucher vers onze heures, après les nouvelles du sport à la radio. C'est le début de la saison de hockey. Il veut toujours savoir si le Canadien a gagné. Si Philippe va à la taverne dans la soirée, il ronfle toute la nuit. Je me suis fabriqué des tampons pour les oreilles avec le liège collé sous les bouchons de bouteilles de Kik, au cas où… Philippe se lève à sept heures le matin et va ouvrir l'épicerie chez Dolbec. Moi, je me lève un peu plus tard. Quand nous sommes seuls à la maison, il laisse toujours traîner le lait, les céréales et sa tasse de café sur la table de cuisine. C'est moi qui dois tout ramasser avant de partir à l'école. En ce qui concerne la nuit du 16 au 17 novembre… Il n'y a pas de calendrier dans la chambre. Les choses ont dû se passer comme d'habitude.

– Pour le moment, nous faisons un tour d'horizon. Nous vérifions certains indices. Sais-tu si ton frère s'est levé durant la nuit ? Est-ce possible qu'il se soit absenté un certain temps, je ne sais pas, pour aller aux toilettes, fumer une cigarette ou boire une bière ?

Si Philippe avait bu une bière cette nuit-là, j'aurais trouvé la bouteille vide sur la table de cuisine avec le lait et les céréales. Même chose quand il fume, il écrase toujours ses *butts* de cigarettes dans sa tasse de café vide. Je l'aurais remarqué. Mais je ne m'en souviens pas. C'est très rare que nous allons aux toilettes la nuit. Il faut avoir une grosse envie. Surtout en novembre. Le plancher de la cuisine est froid comme de la glace, il n'y a pas de lumière dans le coqueron, et si la chaîne des toilettes reste accrochée, l'eau coule dans le bol tout le reste de la nuit. C'est pour ça qu'on attend toujours le matin.

– Comment peux-tu être certain que ton frère n'a pas quitté la chambre durant la nuit ?

Parce que la nuit est faite pour dormir. Il n'y a rien pour réveiller mon frère quand il s'endort. Et s'il doit se lever la nuit, pour une raison ou pour une autre, il est de mauvaise humeur toute la journée, le lendemain. Et chaque fois qu'il est de mauvais poil, c'est moi qui y goûte. Si c'était le cas, je m'en souviendrais.

– Bon ! Ça sera suffisant pour aujourd'hui. Nous reviendrons sûrement sur ce sujet. Réfléchis bien aux questions que je t'ai posées. Force ta mémoire. Essaie de te souvenir des moindres détails… de tout ce que tu as pu noter cette nuit-là.

J'ai surtout noté la prise d'otages par les Allemands et la fusillade en face de l'épicerie Dolbec. Je n'ose pas raconter mon rêve aux policiers. On ne sait jamais. En pleine guerre, rêver aux Allemands est peut-être défendu.

Les policiers s'en vont sans me dire bonjour. Je crois qu'ils sont déçus de mes réponses. Ma mère a entendu du bruit. Elle se lève.

– Quelqu'un est venu ? J'ai entendu des voix. C'était qui ?

Je la rassure. Je lui dis que les policiers frappaient à toutes les portes. Ils sont venus me demander si je savais quelque chose au sujet de « l'accident » du père Dolbec. Je leur ai répondu que je ne savais rien. Je dormais. J'ajoute qu'elle n'a pas à se faire de soucis. Elle était absente à ce moment-là. Ma mère retourne tranquillement dans sa chambre.

Les choses se corsent pour Philippe. Je n'aime pas ça. Quand les policiers sont à nos trousses, ils ne lâchent pas facilement le morceau. Ils sont en train de vérifier certains « indices », comme dit un des policiers. Des « indices », je ne sais pas trop ce que ça veut dire. Il veut peut-être parler d'une dénonciation ou d'une preuve contre mon frère. Ça sent pas bon ! Je vais quand même essayer d'en savoir plus.

Le père Uzéreau est seul dans son restaurant. Il est assis au comptoir et mange des frites. Il plonge chaque patate dans un bol de mayonnaise. J'aime bien manger des frites, mais pas avec de la mayonnaise. Ça dégouline partout. Il est tellement occupé à manger qu'il ne me voit pas. Je m'assois au bout du comptoir et fais glisser une salière dans sa direction. La salière frappe le bol de mayonnaise qui se retrouve sur ses genoux. Un beau gâchis !

– Merde ! T'as vu ce que t'as fait ? T'es bien malcommode aujourd'hui, dit-il. Qu'est-ce qui te prend ?

Les policiers m'ont mis à l'envers avec leurs questions. J'ai envie de casser quelque chose. Je crois que les policiers en veulent à Philippe. Je raconte qu'ils sont venus me demander où était mon frère la nuit du meurtre.

– C'est normal, dit le vieux « fouineux ». L'enquête avance. Chaque jour, les policiers trouvent de nouveaux indices. Ils vont questionner tout le monde dans le quartier. Si ton frère n'a rien à se reprocher, il n'a rien à craindre. En fait, où était-il la nuit de l'assassinat ?

Je lui répète ce que j'ai dit aux policiers. Le vieux Michel ramasse ses frites et passe derrière le comptoir. Il se prend une tasse de café et me verse un grand verre de lait au chocolat. Il a l'air soucieux. Je ne sais pas s'il se doute de quelque chose ou s'il est inquiet pour Philippe. Il allume une cigarette. Il ne dit rien. Il fait semblant d'être occupé. Il balaye le plancher, passe un linge sur les comptoirs, range des bouteilles vides dans une caisse en bois et me tourne le dos. Il m'énerve. Je lui demande s'il a des nouvelles fraîches au sujet de l'enquête.

– Les policiers ne me disent pas tout. Je ne suis pas directement mêlé à l'enquête. J'essaie de les faire parler, mais ce n'est pas facile. Ils sont prudents. S'ils en disent trop, cela peut faire échouer leur enquête.

Je sens qu'il sait plus de choses qu'il veut bien me dire. Il tourne autour du pot. Je les ai vus, les policiers. Ils viennent tous les jours manger ici gratuitement. Le père Uzéreau, « fouineux » comme il est, sait comment faire parler les policiers. Il doit craindre que je répète partout ce qu'il me dit. Pourtant, nous avons fait un arrangement : moi, je ne dis rien de ce qu'il me raconte ; en retour, je lui fais le récit de mes rêves. S'il refuse de jouer le jeu, je vais garder mes rêves pour moi. Tant pis pour lui ! Il ne saura jamais ce qui l'attend. J'ai plein de rêves… avec des Allemands qui rôdent autour de son restaurant. J'espère que ces rêves vont l'inquiéter.

– Bon, ça va ! Je vais te dire tout ce que je sais. Nos conditions tiennent toujours. Tu ne dis rien à personne, y compris Philippe. Cela doit rester entre nous. Il y a trois jours, le policier Pagé est venu au restaurant en soirée. Il était seul. Je lui ai préparé un bon souper : soupe au pois, ragoût de boulettes, gâteau au chocolat. Après le repas, je lui ai offert un cigare et un verre de brandy que j'ai acheté avant la guerre. Il m'a avoué qu'il était sur une bonne piste. En fouillant dans le *back-store* de l'épicerie, il a trouvé l'arme du crime. Un *crow-bar* flambant neuf, avec plein d'empreintes digitales. L'objet est en laboratoire pour analyse. Il m'a dit: « Aussitôt que nous avons les résultats des experts, nous passons à l'action. » Je te jure, c'est tout ce que je sais. Et toi? Tous ces rêves avec des Allemands et des prisonniers qui viennent pour me tuer... Tu dois me dire si c'est vrai ou bien si tu inventes.

Au sujet de mes rêves, je ne dis rien. Je pense surtout à ce qu'a dit le policier: « ... Aussitôt que nous avons les résultats des experts, nous passons à l'action. » Le résultat de l'enquête les a conduits à Philippe. Et ils sont passés à l'action quand ils sont venus me voir. Pendant ce temps, Philippe se réfugie chez la mère Dolbec. Les policiers vont bien finir par le questionner lui aussi. Grâce au père Uzéreau, je commence à comprendre ce qui se passe. J'essaye quand même d'en savoir un peu plus, mais le vieux « fouineux » ne veut plus rien dire. Je n'insiste pas. Je vais attendre que ses secrets mûrissent.

Je laisse le père Uzéreau à ses espionnages, et je rentre chez moi tranquillement. On ne sait jamais, d'autres policiers pourraient venir me questionner. Tout à coup, par une petite porte basse, Philippe sort de la cour arrière du restaurant et m'accroche par le bras. Je sursaute. Il m'a fait peur.

– Ne t'inquiète pas, dit-il, je veux seulement savoir ce que les policiers t'ont demandé.

Il est déjà au courant que les policiers sont venus m'interroger. Il est bien informé. Il a bien raison de suivre toute l'affaire de près. Je lui répète ce que je leur ai raconté. Je n'ajoute rien de plus. Pas question d'allonger mon histoire des confidences du père Uzéreau. Je tiens promesse.

– Très bien ! Je vois que tu as insisté sur le fait que je n'ai pas quitté la chambre de toute la nuit. Est-ce qu'ils t'ont demandé autre chose ?

Les policiers ne m'ont rien demandé de plus parce qu'ils semblaient déçus de mes réponses. Ils voulaient surtout savoir si tu avais quitté la chambre dans la nuit du 16 novembre. J'ai répondu que nous n'avions pas de calendrier. Ils ont dit qu'ils reviendraient me questionner.

– Bravo, P.-P. ! Tu t'es bien débrouillé, je te revaudrai ça. En attendant, tu peux prendre ma bicyclette dans le hangar. Je te la donne. Maintenant que je conduis une auto, j'en ai plus de besoin. Et si jamais les policiers vont t'interroger de nouveau, n'oublie pas de me dire ce qu'ils voulaient savoir.

Une bicyclette à moi tout seul ! Il y a longtemps que j'attends ça. Avec l'été qui s'en vient, je vais pouvoir en profiter.

24

Un mois, c'est vite passé. Dora sort de prison aujourd'hui. J'ai vraiment hâte de la voir. J'irai l'attendre chez Yvon. Elle va sûrement aller faire un tour chez les Landreville. Depuis que j'ai la bicyclette de Philippe, c'est une vraie folie: je pédale sans arrêt. Lorsque Philippe et sa gang se rendaient au 312, ils descendaient le boulevard Saint-Laurent d'une seule traite, pour être rendus plus vite. Pour ma part, j'aime bien faire des détours, visiter des quartiers que je ne connais pas et m'arrêter chez Pegroid's pour manger un beigne. Au début, le passage des autos à côté de moi m'énervait. Plus maintenant. Je file comme si j'étais seul dans la rue. Philippe est plus grand que moi. J'ai dû descendre le siège d'au moins un demi-pouce. La première journée où j'ai eu ma bicyclette, je suis allé faire un tour au 306, mais Yvon était absent. Quand il la verra, il va vouloir me l'emprunter. Ça fait rien. Yvon est mon seul ami. Je lui prêterai mon bicycle avec plaisir.

Il y a déjà un attroupement en face du 306 Ontario. Marcel est là avec sa Cadillac blanche, puis les filles du 312, les Landreville, encore des filles que je ne connais pas, des autos, des taxis et une camionnette genre pick-up. Gabrielle et Yvon portent chacun un bouquet de fleurs. J'arrive au beau milieu de la fête. Tout le monde est joyeusement excité. Yvon ne remarque même pas ma nouvelle bicyclette. Je m'avance tranquillement et je le frappe dans le dos avec la roue avant. Il m'aperçoit enfin.

– Hé ! Qu'est-ce que c'est ça ? Une nouvelle bicyclette ? Chanceux ! Tu vas me laisser l'essayer, j'espère. Tu arrives juste au bon moment. Nous allons accueillir Dora qui sort de prison dans quelques minutes. T'as vu la caravane ! Tu n'as qu'à nous suivre à bicyclette. Je resterais bien avec toi, mais je dois monter dans la Cadillac de Marcel. Je te vois tout à l'heure.

Le défilé se met en branle. La décapotable de Marcel ouvre la parade. Les taxis et les autos suivent, puis la camionnette, remplie de filles qui agitent des ballons et des drapeaux, ferme le cortège. On dirait une procession de la Fête-Dieu avec des cris de joie à la place des litanies des Enfants de Marie. Tout le long du parcours, des policiers dirigent la circulation. Il faut dire aussi que Dora et ses amies de filles ont de bonnes « connexions » dans la police. Je suis le défilé à bicyclette. Autour de moi, des passants se joignent à la parade sans savoir où elle les conduit. Et puis après ? C'est le printemps, il fait beau, et personne ne veut manquer une occasion de fêter.

Le cortège s'arrête en face de la prison. Tout le monde se presse autour d'une large porte en bois verni. C'est là que Dora doit apparaître à midi et une minute. Nous sommes dix minutes à l'avance. Un chanteur italien se lève sur le siège arrière de la décapotable de Marcel, se tourne vers la foule et demande le silence. Il prend sa voix la plus forte et chante *Bella Dora*. Je ne sais pas ce que raconte la chanson, je ne comprends pas un seul mot d'italien. Le chanteur a la face rouge comme un homard. Une fille lui donne un large mouchoir pour s'essuyer le front. Si la chanson dure plus que cinq couplets, il va éclater ou mourir d'une crise de cœur.

À midi, plus ou moins une minute, Dora apparaît enfin à la grande porte en bois verni. Elle porte une robe mauve et un chandail blanc, et elle a enveloppé ses cheveux dans un foulard de soie (mauve ou violet, je ne sais pas trop). Yvon et Gabrielle lui présentent des fleurs. Marcel la prend dans ses bras et l'embrasse durant une longue minute. Il devrait laisser à Dora le temps de respirer. Après un mois enfermée entre quatre murs, elle a plus besoin d'air que d'un bouche à bouche, même si Marcel a une dent en or. Je voudrais bien avancer à mon tour, mais je ne sais pas où laisser ma bicyclette. De toute façon, il y a trop de monde autour de Dora. Elle ne me verra pas.

La parade retourne en direction du 312 Ontario. Cette fois, je ne reste pas en arrière, je passe en avant du cortège. Je prends une bonne avance, car la Cadillac roule plus vite que moi. J'arrive en face du 306 presque en même temps que la décapotable. J'appuie ma bicyclette sur la clôture de fer, au pied de l'escalier qui conduit au 312. C'est là que je m'installais pour garder les bicyclettes de Philippe et sa gang. Dora descend de la Cadillac et m'aperçoit tout à coup. Elle se dirige directement vers moi.

– P'tit frère ! Tu es venu à ma rencontre... comme c'est gentil. Viens que je t'embrasse, dit-elle en déposant ses lèvres sur mes joues rougies par la gêne. Là, je suis bien occupée. On va se voir un peu plus tard. Ne t'éloigne pas.

Deux baisers sur les joues, quelques mots gentils, et Dora retourne dans la foule qui l'attend. Ça m'a fait chaud au cœur qu'elle vienne m'embrasser. Sans son maquillage habituel (la prison, c'est pas un endroit pour se pomponner), je trouve qu'elle a bien changé. J'espère qu'elle a réussi à surmonter pour de bon cette « maladie pas très catholique ».

Tous les figurants de la procession: filles, chauffeurs de taxi, Marcel, le chanteur italien, tous suivent Dora dans l'escalier du 312. C'est la fête des retrouvailles. Yvon et Gabrielle se préparent à monter aussi. J'ai envie de les suivre. Au même moment, madame Landreville sort du 306. Elle n'est pas d'accord de voir Yvon et Gabrielle se mêler à cette fête.

– Oh! Oh! Les enfants, c'est pas pour vous. Vous n'avez pas d'affaires là. C'est une réception réservée aux grandes personnes. Rentrez ici tout de suite.

Il semble que cette interdiction me concerne aussi. Je n'insiste pas. À peine rentré dans la maison, Yvon me demande de lui prêter ma bicyclette. Pas d'objection. Je reste seul avec Gabrielle et madame Landreville. De longues minutes de silence s'ensuivent. Gabrielle n'est pas contente. Elle n'est pas invitée à la fête, et Yvon est parti avec ma bicyclette. Elle choisit de bouder dans son coin. Chaque fois que je me retrouve avec elle, on dirait qu'elle fait exprès de m'ignorer. Yvon arrive au bout d'une heure. Je saute sur ma bicyclette et je rentre chez moi.

***

Ce matin, en me rendant à l'école, je remarque une voiture de police devant l'épicerie Dolbec. Je passe vite sans regarder dans le magasin. Je ne sais pas si Philippe est avec les policiers. En classe, je suis dans la lune. Je ne pense qu'aux policiers qui traînent dans les environs. Le frère Albert me rappelle à l'ordre plusieurs fois. Ça change rien.

À midi, au retour de l'école, la voiture de police est toujours devant l'épicerie. Je cours chez Uzéreau. Le restaurant est rempli de clients à l'heure du lunch. Le vieux Michel est occupé. Il n'a pas le temps de me dire ce qui se passe. Malgré tout, il se rend compte que je suis inquiet. Il me fait signe de le suivre dans un débarras, dans le *back-store.*

– Tiens, dit-il, prends cette longue-vue et observe bien ce qui se brasse dans l'épicerie. Je reviendrai te voir quand les clients seront partis.

La vue est parfaite. Le restaurant se trouve de l'autre côté de la rue, juste en face de l'épicerie. J'ajuste la longue-vue et j'aperçois les policiers qui discutent avec Philippe. C'est comme le film muet que j'ai vu l'autre jour au petit *boiler*: plein d'images sautent, mais on ne comprend rien.

Philippe exécute des grands signes avec la main, et les policiers le regardent sans rien dire. Je reste là durant près d'une heure. Je ne sais toujours pas ce qui se passe. Le restaurant se vide, et le père Michel vient me rejoindre.

– Je les ai observés tout l'avant-midi, dit-il. Les policiers interrogent ton frère sans arrêt. Ça sent pas bon. Je ne peux pas t'en dire plus. Les policiers ne sont pas venus au restaurant pour le lunch. Ils sont trop occupés.

Uzéreau reprend sa longue-vue. Les coudes appuyés sur le rebord de la fenêtre qui donne dans la rue, le vieux « fouineux » fixe l'épicerie pendant un long moment. On dirait qu'il cherche à lire sur les lèvres de Philippe. Il s'impatiente.

– Impossible de savoir ce que ton frère raconte.

Le père Uzéreau a l'air d'un vrai espion, comme œil de Lynx dans les *comics* du *Petit Journal* du dimanche. Il doit lire des romans d'espionnage, le soir, dans son lit. Soudain, l'un des deux policiers sort de l'épicerie et monte chez la veuve Dolbec. Nous attendons encore un peu. Impossible d'être au courant de ce qui arrive chez la veuve, la longue-vue ne permet pas de voir à travers les murs de briques. Le policier descend de chez la Dolbec et rejoint son compagnon. Ils montent dans leur grosse voiture noire et quittent l'épicerie avec Philippe. La séance d'observation est terminée. Je commence à avoir faim. Le père Michel me prépare un sandwich au jambon. Il s'assoit avec moi au comptoir et tente de m'encourager.

– C'est sans doute une simple formalité, dit-il. Ils vont le relâcher en fin de journée.

J'en suis pas si sûr. J'ai comme l'impression que je ne reverrai pas Philippe avant longtemps. C'est la deuxième fois que les policiers emmènent mon frère au poste. Cette fois-ci, je pense qu'ils vont l'arrêter pour de bon. C'est une bien triste affaire. Même avec une nouvelle bicyclette, l'été s'annonce moins drôle que je pensais.

De l'autre côté de la rue, le jeune commis que mon frère a engagé sort de l'épicerie et colle un écriteau dans la porte: « FERMÉ ». Je rentre à la maison. Mon père est assis dans la cuisine devant un petit tube en métal, du papier et du tabac posés sur une feuille de journal. Il roule ses cigarettes. J'entends du bruit dans la chambre de mes parents. Je m'avance pour voir qui est là.

– Vas-y pas, lance mon père. C'est le médecin. Ta mère n'est pas bien du tout. Viens t'asseoir. Pendant que tu es là, dis-moi donc ce que voulaient les policiers, l'autre jour, quand ils sont venus te questionner.

Je lui répète de mémoire les grandes lignes de la conversation que j'ai eue avec eux. Mon père m'écoute, les oreilles dans le crin. Il s'allume une cigarette. Je ne sais pas ce qu'il pense. Il ne peut pas savoir ce qui s'est passé dans la nuit du 16 au 17 novembre, il n'était pas à la maison. Il était aux Shops Angus en train de construire des chars d'assaut pour aider nos soldats à tuer des Allemands. Les policiers devraient courir après nos ennemis plutôt que de manger gratis chez Uzéreau en échange de faux renseignements. Je lui dis que les policiers viennent d'arrêter Philippe. Mon père se lève, prend un grand respire et plisse les yeux.

– Je dois parler au médecin avant qu'il parte, dit-il. Il faut que je m'occupe de ta mère, d'abord. Quand ça sera le temps, je m'occuperai du cas de Philippe. Si tu as d'autres nouvelles, n'oublie pas de m'en informer. Entre-temps, prends bien soin de toi.

C'est entendu ! Mais si j'étais malade, à la place de ma mère, ou en prison, à la place de Philippe, les autres seraient obligés de s'occuper de moi. C'est mieux comme ça. Je peux prendre soin de moi sans déranger personne.

25

Rouler à bicyclette me donne des forces. C'est une arme pour combattre les mauvaises nouvelles. Un char d'assaut contre le chagrin, un char d'assaut avec lequel je fonce dans tout ce qui me dérange. Si seulement Philippe pouvait rouler à bicyclette, il pourrait s'en sortir. Les deux mains agrippées aux poignées, le dos courbé, la tête en avant, le vent dans la face… plus rien ne l'arrêterait. Je pense souvent à Philippe, ces derniers jours. Normal, c'est mon frère. Je pense aussi à ma mère, mais c'est différent. Je prie pour ma mère. Je ne prie pas pour Philippe parce que je pense qu'il ne croit pas aux miracles.

C'est samedi. Je roule depuis près de deux heures autour du 312 Ontario. J'attends de croiser Dora. Je sais que, le samedi, elle ne travaille pas au 312. Elle en profite pour passer chez les Landreville et magasiner chez Dupuis et Frères. Je voudrais être seul avec elle. J'ai plein de choses à lui raconter.

Enfin, j'aperçois Dora qui descend du tramway Saint-Denis. Elle porte un gros sac qu'elle balance au même rythme que ses hanches. Elle est toujours aussi belle et élégante. Tous les hommes la regardent. Je suis bien fière d'être son « p'tit frère », comme elle dit. Je roule le long du trottoir et j'accoste Dora. Elle semble contente de me voir. Je lui dis tout simplement que j'ai beaucoup de peine et que je n'ai personne à qui parler. J'ai aussi besoin de conseils pour organiser ma vie. Ce n'est pas facile d'avoir onze ans dans un monde d'adultes. Elle me demande de l'accompagner au restaurant chez Géracimo. C'est bientôt l'heure du lunch. Nous allons manger un bon spaghetti. Je laisse ma bicyclette, bien en vue, dans l'entrée du restaurant pour ne pas me la faire voler. Nous nous installons sur une grande banquette, seuls tous les deux. Je me sens bien. Si j'avais l'âge de Dora, je lui demanderais, ici même, de m'épouser. Je suis curieux de savoir ce qu'elle répondrait.

– T'es complètement fou, p'tit frère ! M'épouser ? Tu n'y penses pas ! Qu'est-ce que nous ferions toute la journée, dans un petit logement de trois pièces, quelque part dans la rue Sanguinet ou la rue Ontario. Toi, *waiter* dans un restaurant comme ici, et moi… moi tu sais ce que je fais ? Non, ne dis rien. Cesse de me parler comme ça. Je vais me mettre à chialer.

Elle passe une main dans mes cheveux, et de l'autre, elle essuie une larme. Je comprends qu'elle n'a pas aimé mon idée de l'épouser. Je ne sais pas pourquoi. Je sais que je ferais un bon mari. D'abord, je ne serais pas *waiter* dans un restaurant. Je serais avocat ou médecin. Nous n'habiterions ni rue Sanguinet ni rue Ontario. J'achèterais une grande maison comme celles où je vais pelleter les entrées, l'hiver, à Outremont. Nous aurions trois enfants, deux filles et un garçon. L'été, nous aurions une maison à la campagne, au bord d'un lac. Je suis bon nageur, et je t'apprendrais à nager.

– P'tit frère, dit-elle, qu'est-ce qui te prend de me dire des choses pareilles ? Ça va pas ? Je pense que tu files un mauvais coton. Raconte un peu ce qui t'arrive.

Dora devine tout. Elle est aussi très sensible. Elle fait n'importe quoi pour soulager ceux qui sont malheureux.

C'est son métier. Je ne sais pas vraiment, mais c'est ce qu'elle doit faire au 312. Quand Philippe et les autres sortaient du 312, ils avaient toujours l'air de bonne humeur. Mais c'est son secret, je ne vais pas l'ennuyer avec ça.

Je n'ai pas faim. Je grignote un peu de spaghetti. Entre deux bouchées, je lui dis que mon frère a été arrêté par la police et qu'il sera peut-être accusé de meurtre. S'il est trouvé coupable, ils vont sûrement l'envoyer en prison pour le reste de ses jours. Ils vont même le pendre, comme cela arrive souvent. C'est mon seul frère. Il est aussi mon ami. Qu'est-ce que je vais devenir si je n'ai plus de frère ?

– Tu pourras toujours compter sur ta grande sœur, dit-elle. Pour le moment, tu ne dois pas te mettre le cœur en boule. Ton frère n'est pas encore coupable. Il y aura un procès. On verra bien. C'est peut-être une erreur judiciaire. On voit ça tous les jours. En attendant, il n'y a rien à faire. Travaille bien à l'école et sois gentil avec tes parents. Eux aussi doivent être malheureux.

– Mes parents pensent à Philippe, c'est certain. Mais ils ont leurs propres malheurs. Ma mère est très malade. Ce qui arrive à Philippe va l'achever. Mon père construit des chars d'assaut jour et nuit. Il est très fatigué. Il n'a plus la force de traverser une épreuve pareille. Il m'a justement dit l'autre jour : « Prends bien soin de toi. » Ça signifie qu'il n'a pas beaucoup de temps pour s'occuper de moi. Il me reste juste toi, Dora. Mais tu dois avoir d'autres choses à faire.

– Là, je trouve que tu dramatises en sacrement ! Tu me causes tout un charivari. À ton âge, tu dois chasser toutes ces idées noires de ta tête. Amuse-toi, vois des amis… ne reste pas là à pleurnicher. As-tu revu Gabrielle ? Elle est une bonne amie pour toi. Tu devrais aller la voir et lui parler. Ou, si tu veux, je lui parlerai.

Je suis obligé d'avouer que Gabrielle n'est plus ma petite amie. J'essaie d'être gentil avec elle. Rien à faire. Elle me snobe ou me dit des mots durs. Au début, je l'aimais bien. Aujourd'hui, elle doit être amoureuse de quelqu'un d'autre. Je ne veux pas me mêler de ses histoires de cœur. Je sens que je ne suis pas le genre de gars qu'elle recherche. Je ne flashe pas assez.

– Bon ! Finis ton spaghetti et souris-moi, dit Dora. Oublie Gabrielle pour le moment. Tu trouveras bien une autre petite amie de ton âge. Si tu veux que les filles s'intéressent à toi, tu dois être souriant et de bonne humeur. Les filles, d'habitude, n'aiment pas les chialeux. Avec moi, c'est différent. Tu es mon p'tit frère, je t'aime bien quand même. Si ça ne va pas, tu viens me parler. Une seule chose, ne me demande plus en mariage, dit-elle en m'embrassant sur le front.

Je me sens mieux. Cette conversation m'a remis sur le piton. Tout est clair. Même si d'autres personnes m'aiment, Dora est la seule qui n'a pas peur de me le dire. Et quand on a une grande sœur comme Dora, c'est plus facile d'oublier une petite amie comme Gabrielle. Elle paye le *waiter*, et nous sortons du restaurant. C'est toujours Dora qui paye. Si un jour j'ai de l'argent, je l'inviterai à mon tour. Je saute sur ma bicyclette et je rentre à la maison.

Le père Uzéreau est planté sur le trottoir, devant son restaurant, avec un journal à la main. Il a l'air préoccupé. On dirait qu'il attend quelqu'un avec qui parler. Dès qu'il me voit, il m'invite à le suivre dans son commerce. Il étend le journal sur le comptoir et me signale du doigt le titre d'un article sur deux colonnes : « Jeune homme accusé du meurtre de son patron ». Plus bas, le journal explique : « Philippe Dubois, 18 ans, est soupçonné d'avoir tué le propriétaire de l'épicerie où Dubois travaillait... »

– Cette fois, c'est pas les policiers qui me racontent des histoires, dit le vieux Michel, c'est écrit dans *La Patrie*, en noir sur blanc. C'est sérieux. Je n'ai rien vu encore dans *Le Canada*, mais je vais en parler à Rodolphe Pétel, le chroniqueur du palais de justice. Je le croise parfois lorsqu'il se rend à son journal, situé dans l'autre rue. Je vais lui offrir un repas gratuit, et il me racontera tout ce qu'il sait. Pour le moment, chose certaine, Philippe est accusé. Ils vont le garder en prison jusqu'au procès, puis…

Parle, parle, parle, le vieux Uzéreau n'arrête pas de parler. Cette nouvelle dans le journal l'excite autant que s'il était accusé. Il me parle du procès qui va avoir lieu, se demandant s'il sera appelé comme témoin. Je lui demande s'il a vu quelque chose la nuit du meurtre. Il me répond que non, mais qu'il aimerait bien aller témoigner quand même. Je ne sais pas trop ce qu'il peut raconter. Mais ce serait bien s'il disait au juge qu'il connaît Philippe depuis toujours et qu'il est certain que mon frère n'est pas coupable. J'en profite pour partir avec son journal. Il n'ouvre pas la bouche.

En sortant du restaurant, j'aperçois mon père qui aide ma mère à monter dans un taxi. Je me précipite en courant.

– Ce n'est rien. Ne t'inquiète pas, dit mon père. Je vais reconduire ta mère à l'hôpital. C'est pour des examens, rien de plus. Reste à la maison. Je vais revenir tout de suite.

Un frère en prison, une mère à l'hôpital… les vacances d'été ne s'annoncent pas aussi ensoleillées que je l'espérais. En plus, il faut que je sois de bonne humeur et que je sourie…, et ce n'est pas le moment de « dramatiser », comme dit Dora. C'est quand même pas facile par les temps qui courent.

Je fouille dans mes boîtes sous le lit. Depuis que je suis seul dans la chambre, je ne peux pas me tromper de boîtes. Celles de Philippe sont déménagées dans le logis de la veuve Dolbec. Je retrouve ma plume *fountain*, une superbe Parker flambant neuve. Je ne m'en suis pas encore servi. J'espère que l'encre n'a pas séché dans le tube en caoutchouc. Je prends une vieille feuille de papier pour faire un test et trace quelques lignes d'encre bleue. Tout fonctionne.

Cher Victor,

Quand je t'ai rencontré, l'autre jour, dans la rue Sainte-Catherine, tu m'as dit que je pouvais t'écrire, tu m'as bien dit aussi que tu aimerais avoir de nos nouvelles. Je veux juste te prévenir que Philippe est en prison. On l'accuse d'un meurtre que je sais qu'il n'a pas commis. Ça fait rien, ils veulent lui faire un procès quand même. Comme tu étudies pour devenir avocat et que ton père est juge, vous pourriez peut-être nous dire ce qu'il faut faire pour se sortir de ce pétrin. Ici, il se passe toutes sortes de choses. Ma mère est entrée à l'hôpital cet après-midi, et mon père ne sait plus où donner de la tête. Moi, ça va pas trop mal. J'ai hérité de la bicyclette de Philippe pendant qu'il est en prison. Mais je suis prêt à la lui rendre lorsqu'il sortira. Porte-toi bien et donne de tes nouvelles si tu as une minute.

Pierre-Paul

Je dois maintenant trouver une enveloppe, l'adresse de Victor et un timbre. C'est toujours la même histoire : le plus difficile, ce n'est pas d'écrire une lettre, c'est tout le bataclan qu'il faut faire avant de la mettre à la poste. Je devrais trouver tout ce dont j'ai besoin dans la boîte des cartes de Noël que ma mère garde au fond d'un tiroir. Il me manque que le timbre. Je ne peux pas aller au bureau de poste tout de suite. Mon père m'a demandé de rester à la maison et de l'attendre. Pendant ce temps, je lis le journal que j'ai pris au vieux Michel. D'abord, je lis et relis l'article concernant Philippe. Le chroniqueur ne sait pas grand-chose. Il répète ce que tout le monde sait déjà. Il ne dit même pas si Philippe est coupable ou non. Les autres articles ne parlent que de la guerre. Des pleines pages sur la victoire des Canadiens en Italie. Je ne sais pas si l'Italien qui nous vend la glace, l'été, et le charbon à la poche, l'hiver, est du bord des autres Italiens ou s'il est de notre bord. La prochaine fois qu'il va venir porter son morceau de glace, je le lui demanderai.

Mon père vient de rentrer. Il n'a sûrement pas dormi depuis longtemps. Il a les yeux enfoncés dans deux cercles noirs. Je lui montre l'article du journal qui parle de Philippe. Il lit lentement, puis ferme les yeux. Il doit demander au bon Dieu de sauver Philippe. Il me regarde.

– C'est bien triste tout ce qui arrive, dit-il. J'espère que Philippe va s'en sortir. En tout cas, il faudra tout faire pour l'aider. Il doit avoir droit à des visites. Je vais essayer d'aller le voir, demain après-midi. Je prendrai une journée de congé.

Ça ne me plaît pas d'aller en prison, même pour voir mon frère. Mon père n'insiste pas. Je prends des nouvelles de ma mère. Elle va bien. Elle devrait revenir à la maison, d'ici une semaine. Mon père dit qu'il ne faut pas s'inquiéter. Elle est entre de bonnes mains à l'hôpital. Au même moment, madame Lupien vient nous rendre visite, paraissant très affectée par tout ce qui nous arrive.

– Mon doux Seigneur ! Quelle histoire ! Je suis tout à l'envers, dit-elle en essuyant une larme. J'aimerais bien aller voir Jeanne à l'hôpital, si c'est possible. En attendant, est-ce que je peux faire quelque chose pour aider ?

Elle ne parle pas de Philippe. C'est mieux comme ça. Une mauvaise nouvelle à la fois, c'est assez. Mon père lui demande si elle veut bien téléphoner à pépé Léon, à Mont-Laurier, pour le mettre au courant. Je souhaite qu'il vienne nous voir. Je souhaite aussi qu'il n'oublie pas son enveloppe remplie d'argent. Nous aurons sûrement besoin de lui dans les jours qui viennent. Je cours acheter un timbre. Enfin, la lettre à Victor est partie.

26

Aujourd'hui, grande réunion de famille à la maison… les Thouin, les Dubois. Tout le monde est là: mon père, pépé Léon, Victor et son père, le juge. Ça discute fort autour de la table de cuisine. Il y a des bouteilles de bière sur la table et du café qui chauffe sur le poêle. J'assiste en silence à la discussion. Je me fais le plus petit possible, comme ma condition d'enfant l'exige. Mon oncle, le juge Dubois, est un gros bonhomme à la voix forte. Quand il prend la parole, tout le monde l'écoute.

– Prenons les choses en main, tout de suite, dit le juge. D'abord, il faut trouver un bon avocat pour assurer la défense de Philippe. Je vais communiquer personnellement avec Maître Panneton. C'est un excellent criminaliste. Si Philippe est innocent, l'issue du procès ne fait aucun doute. Si, par malheur, les preuves sont accablantes, Maître Panneton trouvera bien des circonstances atténuantes.

– Je suis certain que Philippe est innocent, dit mon père. C'est une sale histoire de règlement de comptes. Le père Dolbec faisait du marché noir avec des coupons d'essence.

– Ne portons pas de jugement trop vite, ajoute mon oncle. Attendons de voir les preuves de la Couronne.

C'est l'avocat de Philippe qui établira la stratégie. Contentons-nous, pour le moment, d'apporter un soutien moral à Philippe. Si quelqu'un est au courant de faits qui peuvent aider sa défense, il ne faut pas hésiter à les fournir à l'avocat. Soyons discrets. N'essayons pas de faire un procès hors cour. Évitons aussi de dire à Philippe ce qu'il doit dire ou faire. Laissons l'avocat au dossier se charger d'orienter la cause.

– Un procès pour meurtre est entre les mains du jury, dit le cousin Victor, étudiant en droit. Un avocat d'expérience sait comment présenter une défense qui ébranlera la conscience des membres du jury. S'il y a le moindre doute sur la culpabilité de Philippe, le jury n'aura pas d'autre choix que de l'acquitter. Demeurons confiants.

– Moi, je suis un homme d'affaires, dit pépé Léon. Je ne connais rien à ce genre de procédure. Mais s'il faut deux ou trois avocats pour assurer la défense de Philippe, nous engagerons autant d'avocats qu'il sera nécessaire. Ce n'est plus une question d'argent, c'est une question de vie ou de mort. Ne lésinons pas.

– Ce n'est pas le nombre d'avocats qui fait la qualité de la défense, ajoute le juge. Soyons réalistes. Deux ou trois avocats qui ne s'entendent pas, ça peut faire échouer un procès. Si Panneton accepte, nous sommes entre de bonnes mains. Tout le reste est à la grâce de Dieu.

À la grâce de Dieu ! C'est bien beau, mais si Dieu décide de ne pas se mêler du procès de Philippe… il arrive quoi ? J'écoute tout ce bavardage (que je comprends à moitié) et je me dis : pauvre Philippe ! C'est lui qui va être obligé de démêler tout ça avec son avocat. Le matin qu'il se présentera devant le juge, il ne saura même pas ce qui l'attend. La police, les témoins… tout ce monde-là va vouloir le démolir.

– Je reviens à mon histoire de règlement de comptes, dit mon père. C'est certain que les preuves sont minces.

Mais nous devrions engager un détective privé. Nous le mettons sur une piste et nous attendons qu'il nous revienne avec des preuves. Il y a un gars à la *shop*, son beau-frère est détective privé. Nous en avons parlé. Pour lui, cela ne pose aucun problème. Des règlements de comptes dans le monde du marché noir, c'est courant. Il suffit d'identifier un ou deux ennemis de la victime. Puis le détective part en chasse contre ces individus, il monte une preuve, et l'affaire est dans le sac.

– Ce n'est pas si simple que ça, réplique Victor qui n'a pas l'air d'apprécier l'idée de mon père.

– Je crois que nous nous égarons dangereusement, ajoute l'oncle juge. Laissons Maître Panneton ficeler la stratégie comme il l'entend. Pour ce qui est d'embaucher un détective privé pour contourner l'enquête policière, cela me paraît prématuré. Comme je l'ai dit tout à l'heure, attendons de connaître la preuve de la Couronne. Il faut savoir ce que les policiers ont trouvé au cours de leur enquête.

Je pensais justement à la *crow-bar* que les policiers ont découvert dans le *back-store*, chez Dolbec. Personne ne semble être au courant. Le père Uzéreau m'a fait jurer de ne rien dire à personne. Alors, je ne dirai rien. C'est mieux comme ça. De toute façon, ils ne voudront même pas m'écouter.

La discussion dure encore une bonne heure, le temps de boire toute la bière sur la table et de laisser refroidir le café dans les tasses. La cuisine est remplie de fumée: pipe, cigare, cigarette… ils ont boucané la pièce tout l'après-midi. Je commence à avoir mal au cœur. J'ouvre la porte du balcon pour faire aérer. Le temps est à la pluie, et le vent est tombé. La fumée ne bouge pas. Heureusement, avec un peu de patience, les choses finissent par s'améliorer: tout le monde part visiter ma mère à l'hôpital.

Je reste seul. Je suis allé voir ma mère, hier soir. Tout le temps où j'ai été avec elle, nous avons cherché des sujets de conversation. C'est pas facile à trouver. D'abord, nous sommes passés rapidement sur le cas de Philippe. Je lui ai dit que tout allait s'arranger, même si je n'en sais rien. Puis je n'avais pas le goût de discuter de mon travail à l'école. Elle non plus, je pense. J'aurais aimé lui parler de Dora, mais elle ne la connaît pas. La guerre ne l'intéresse pas, et c'est pas le temps de bavarder de la température avec une malade enfermée dans une chambre d'hôpital avec trois autres patientes. Je suis quand même resté près de ma mère jusqu'à la fin des visites. Mon père pense qu'elle sera de retour à la maison dans une semaine. C'est un peu vite. Je ne l'ai pas trouvée bien du tout. Elle a encore maigri et elle parle si bas que j'ai de la misère à l'entendre. Je vais sûrement retourner la voir demain.

Mon père revient seul de l'hôpital. Les autres sont à l'hôtel. Nous allons passer les prochaines heures ensemble. Les Shops Angus acceptent que mon père prenne quelques jours de vacances. Si les sujets de conversation avec ma mère ne sont pas faciles à trouver, avec mon père, c'est encore plus compliqué. Lui, il n'est pas bavard. Si tu veux qu'il s'intéresse à toi, suggère-lui quelque chose à faire et parle le moins possible. En peu de mots, j'essaie de lui expliquer que ma mère garde au fond d'un tiroir (je sais à quel endroit, j'ai déjà fouillé) des enveloppes pleines d'argent que pépé Léon lui apporte quand il vient nous visiter. Au début, il a fait semblant d'être surpris, mais quand il a ouvert les enveloppes, il a eu plutôt l'air au courant et surtout rassuré. Je le comprends. Beaucoup de dépenses l'attendent.

Nous nous asseyons tous les deux, mon père et moi, autour de la table dans la cuisine. Comme les mots ne viennent pas facilement, la conversation a du mal à débuter. Au bout d'un moment, mon père laisse échapper quelques bribes.

– Philippe parti et ta mère à l'hôpital, nous devrons nous débrouiller. J'ai laissé de l'argent dans une boîte de tabac vide. Tu la trouveras sur la tablette du bas, dans l'armoire au-dessus du lavabo, dit mon père. Si tu as besoin de quelque chose, tu vas chez Dolbec – si l'épicerie est rouverte –, ou chez Uzéreau. En cas d'urgence, n'hésite pas à aller chez les Lupien. Je les ai prévenus, et ils sont d'accord pour te donner un coup de main, au besoin. Continue de bien travailler à l'école et ne traîne pas dans les rues quand je suis absent. Pour le reste, je te fais confiance.

Pour le reste, je me fais AUSSI confiance. Depuis le temps que je me m'arrange tout seul, ça ne fera pas un gros changement. Aujourd'hui, je trouve que mon père fait quand même un bel effort. C'est lui qui prépare le souper et qui dépose mon assiette sur la table. Nous mangeons le boudin que pépé Léon a apporté (lui, le grand-père, il doit souper à l'hôtel, le chanceux!). Même si nous ne parlons pas beaucoup, j'apprécie ce tête-à-tête avec mon père. C'est pas arrivé souvent. Après souper, il roule ses cigarettes en écoutant la radio. La fin de l'année scolaire approche, et j'essaye de me préparer le mieux possible pour les examens. Mais c'est pas facile d'étudier quand la radio talonne les oreilles.

Le lendemain matin, mon père m'emmène à la clinique de la Ligue antituberculeuse, une maison privée de la rue Saint-Denis. Dans un petit salon, plein de monde attend son tour. Mon père ne m'a jamais parlé de cette visite. Je voudrais bien savoir ce que je fais ici.

– Le médecin de ta mère nous oblige, toi et moi, à passer un examen des poumons. Ta mère souffre de tuberculose, une maladie très contagieuse. Il ne faut prendre aucun risque. C'est une maladie mortelle.

Mortelle? Je ne savais pas que ma mère souffrait d'une maladie mortelle. C'est vrai qu'on ne me dit jamais rien…, mais on aurait pu m'avertir avant aujourd'hui. Si j'ai attrapé la maladie de ma mère… est-ce que je vais mourir, et dans combien de temps? Mon père me dit de ne pas m'inquiéter. C'est simplement un examen.

Une infirmière vient me chercher. J'entre dans une petite salle obscure. J'arrive face à face avec un mystérieux Kodak noir. Je tremble de peur. J'enlève ma camisole, et l'infirmière m'aplatit le torse sur un cadre de métal glacé. Je prends une grande aspiration, puis je retiens mon souffle. J'entends un déclic. C'est fini. Mes poumons sont photographiés. Il faudra revenir plus tard pour connaître les résultats.

Sur le chemin de retour, je n'ose pas questionner mon père. Je sens qu'il n'a pas le goût de parler. Pourtant, j'ai la tête pleine de questions. Si ma mère souffre d'une maladie mortelle, c'est plus grave que la maladie « pas très catholique » de Dora.

27

Mon père était en congé cette nuit, et pourtant il n'est pas rentré coucher. C'est son droit. Mais je dois avouer que ça m'inquiète. Pour toutes sortes de raisons, je suis beaucoup plus inquiet aujourd'hui que je l'étais, disons, il y a un an. Bien des choses sont arrivées, et ça m'a fait pousser une sorte de boule dans l'estomac. Une boule qui va, qui vient, qui me coupe le souffle. Elle bloque même les céréales que j'essaie d'avaler. Il faut que je finisse de déjeuner si je ne veux pas être en retard à l'école.

J'entends du bruit. C'est mon père qui rentre. Il a les yeux rouges, la barbe longue et les cheveux comme un vieux balai usé. Il n'a pas l'air dans son assiette. On dirait qu'il a passé la nuit dehors. Il me regarde sans dire un mot, lance sur la table de cuisine un grand papier blanc plié en quatre, et il file dans sa chambre. Je prends le papier.

Hôpital Hôtel-Dieu de Montréal
Pavillon Le Royer

Madame Jeanne Dubois, née Jeanne Thouin, est décédée, le 14 juin 1943 à 4 heures a. m. Cause du décès: tuberculose.

Signé: Henri Boutin, md

Je ne comprends rien de ce qui est écrit plus bas sur la feuille. C'est pas important. J'en sais assez. Je n'arrive même pas à avaler le reste de mon bol de céréales. J'étire le cou vers la porte de chambre de mon père. Il est étendu tout habillé sur le lit. Je remets le papier sur la table. Je n'ai pas le courage d'aller à l'école, ce matin.

Pour le moment, je joue à cache-cache avec la mort de ma mère. Mes petites habitudes de la vie de tous les jours ne m'ont pas préparé à ça. Et puis, je suis trop jeune pour mourir. Je n'y ai jamais pensé avant aujourd'hui. Je me demande, ce matin, quelle sorte de mort la vie me réserve. La tuberculose ? Il faut attendre les résultats de la photographie de mes poumons.

Je sors sur le balcon. Il fait très beau. Je prends une grande aspiration. Je regarde le ciel bleu et me dis que ma mère est là, quelque part, avec les anges. Je n'ai qu'à lever la tête et je sens qu'elle n'est pas loin. Je devrai prendre l'habitude de lever les yeux vers le ciel plus souvent ; comme ça, je resterai en contact avec elle. Je retourne jeter un coup d'œil dans la chambre de mes parents. Mon père est toujours endormi. Sur le crochet qui sert de placard, j'aperçois la robe blanche avec des fleurs bleues que ma mère portait la dernière fois que je l'ai vue à la maison. Une robe vide, c'est plus triste à voir qu'une feuille de papier qui annonce la mort. Les objets de tous les jours devraient mourir et disparaître avec ceux qu'on aime. Ma boule au creux de l'estomac a grossi tout d'un coup. Je suis gêné-mal-au-ventre. Je vais me trouver un coin secret pour pleurer tranquillement.

La mort attire beaucoup de monde. Pépé Thouin, cousins, cousines, un oncle et une tante de Mont-Laurier que je n'ai rencontrés qu'une seule fois… tous ont débarqué à Montréal. Ils demeurent à l'hôtel. Pas de chance. J'aimerais mieux qu'ils restent à la maison, je me sentirais moins seul. Mais nous avons seulement deux lits, et ils sont déjà occupés. L'oncle juge Dubois et le cousin Victor sont aussi de retour. C'est leur deuxième visite en quelques semaines. Ils vont commencer à nous trouver fatigants.

Pour la première fois, je passe une journée complète dans un salon funéraire. C'est très spécial. Les gens parlent bas, et ça sent les roses jusque dans les toilettes. Ma mère, qui n'a jamais reçu de fleurs de sa vie, est entourée de bouquets et de roues de roses. Je me demande bien ce que nous allons en faire, une fois que nous aurons quitté le salon. Les membres de la famille Lupien au complet sont venus en début de soirée. Ils ont fait le tour du salon et souhaité leurs condoléances à mon père, à moi et à bien du monde qu'ils ne connaissent pas. Moi non plus, je ne connais pas beaucoup de monde. Le père Uzéreau est venu trois fois depuis le matin. Il s'agenouille devant le cercueil, fait un signe de croix, puis regarde autour s'il connaît des gens. Le vieux «fouineux» ne connaît personne, à part moi et mon père. Il vient juste pour écornifler. Les autres voisins du quartier sont passés rapidement, mais ne sont pas restés. La veuve Dolbec ne s'est pas montrée. Elle a bien fait. Mon père l'aurait bottée dehors.

À l'heure du midi, j'ai sauté sur ma bicyclette, et je suis allé faire un tour au 306 Ontario. Madame Landreville était seule. Je lui ai dit que ma mère était morte, et que nous l'avions exposée dans un salon funéraire, rue Laurier. Elle m'a répondu qu'elle ne pourrait pas s'y rendre à cause de ses jambes. J'ai quand même fait le message pour les autres. Madame Landreville m'a juste dit que Dora avait une peur maladive des morts et qu'elle ne pourra sûrement pas se rendre au salon. Je n'ai pas insisté. Si je comprends bien, la mort est d'abord une affaire de famille.

Mon père et pépé Thouin sont en grande discussion dans le fumoir du salon. Je ne suis pas là pour fumer. J'écoute.

– J'aurais bien aimé, dit mon père, enterrer Jeanne à Côte-des-Neiges. C'est beaucoup plus pratique pour moi. J'ai déjà acheté le terrain, et je dois aller choisir une pierre tombale. Quand je mourrai, je veux être enterré, ici, à Montréal, avec ma femme.

– Je comprends, répond pépé Léon, mais Jeanne est née à Mont-Laurier. Sa mère et son frère mort en bas âge sont inhumés dans le cimetière du village. J'ai fait construire un superbe monument funéraire afin de réunir toute la famille. Il me semble qu'elle est plus à sa place parmi ses proches, dans son village natal.

– Moi aussi, je veux réunir la famille, moi et les enfants, sur un même terrain, ajoute mon père. Nous n'allons pas nous faire enterrer à Mont-Laurier.

– Et pourquoi pas? Nous sommes tous une grande famille. Et c'est beaucoup plus intime d'être enterré dans notre village que sur les flancs du mont Royal, avec des centaines de milliers de noms inconnus.

Je ne veux surtout pas savoir où on va m'enterrer, ni avec qui. Quand des adultes se disputent un cimetière, c'est qu'ils sont déjà à moitié morts. Il y a de bonnes chances que mon père meure avant moi. C'est moi qui vais choisir son cimetière. Il aurait dû demander mon avis.

Cette discussion de fumoir ne me regarde pas. C'est pas moi qu'on enterre. Je retourne au salon. L'oncle de Trois-Rivières et le cousin Victor discutent avec un homme. J'aimerais bien savoir ce qu'ils disent, mais ils parlent à voix basse. On se penserait dans une église. À l'église, c'est silence parce que le saint sacrement est exposé; ici, c'est juste ma mère qui est exposée. Mais depuis qu'elle est morte, elle doit avoir rejoint le saint sacrement et c'est pour ça qu'il faut parler à voix basse, comme à l'église. Victor vient me chercher et me présente à l'homme qui l'accompagne. Le monsieur doit mesurer sept pieds, au moins. Il a de larges épaules, les cheveux blancs et des grands pieds. J'aimerais pas le rencontrer seul, la nuit, dans une ruelle. Il est plus épeurant que la police. Il s'appelle Maître Panneton, l'avocat choisi pour défendre Philippe. Il pose une grosse main poilue sur mon épaule et me dit :

– Mes condoléances, petit ! Comme tu sais, c'est moi qui dois assurer la défense de ton frère. J'ai appris que les policiers avaient été te questionner. Il faut me dire tout ce que tu sais, et tout ce que tu as dit aux policiers. C'est très important.

Il est si grand que, s'il reste debout, je vais être obligé de parler plus fort. Il s'assoit à mes côtés. Je lui répète ce que j'ai dit aux policiers. Mais il y a aussi le secret du père Uzéreau. Je ne sais pas si je dois être libéré de ma promesse.

– Il n'y a pas de secret qui tienne, dit-il. Je suis l'avocat de Philippe. Tu peux parler en toute sécurité. Ça restera entre nous.

Je me sens en confiance. Je lui raconte l'histoire du *crow-bar* que les policiers ont trouvé dans le *back-store*. Il me questionne encore. Je lui rappelle que je n'en sais pas plus. Il veut savoir quelle sorte de relations Philippe entretenait avec la veuve Dolbec. Je lui dis que mon frère couchait, des fois, à l'appartement, lorsque monsieur Dolbec était en voyage, parce que madame Dolbec avait peur, la nuit, de rester seule.

– Ça sera tout pour le moment, dit-il en souriant. Nous reparlerons de cette question plus tard. À l'avenir, tu ne dis rien à personne. Si tu apprends quelque chose de neuf, tu m'en parles.

Après le salon, c'est l'église. La cérémonie est moins triste qu'au salon où on récite des chapelets toutes les heures, à genoux sur le plancher, les coudes appuyés sur une chaise. À l'église, en plus des fleurs, il y a l'odeur de l'encens, les cierges, les enfants de chœur, et, au milieu de la grande allée, un catafalque noir, gros comme un char d'assaut des Shops Angus. Je sais comment les choses s'y passent. Un jour, j'ai agi comme acolyte à des funérailles, en remplacement d'un enfant de chœur malade.

Le corbillard est arrêté devant l'église depuis dix minutes. La cérémonie est retardée. Mon père et pépé Léon commencent à s'impatienter. Le bedeau sort et vient leur parler :

– Il faudra attendre encore quelques minutes, dit le bedeau. Nous venons d'avoir des funérailles de première classe. Il faut enlever les fougères dans la nef centrale, les banderoles sur les colonnes et les fleurs sur la sainte table..., parce que vous avez payé pour des funérailles de troisième classe. Le curé insiste pour qu'on fasse le changement des décorations.

Pépé Léon n'est pas content. Il s'approche du bedeau et lui parle dans le nez. C'est la première fois que je le vois se fâcher. Il tremble de colère.

– Va me chercher le curé, dit pépé au bedeau. Et touchez pas aux décorations ! Première ou troisième classe... je m'en fiche pas mal ! On veut rien savoir de vos niaiseries. Pour qui nous prenez-vous ? On n'est pas du monde de troisième classe. Fiche le camp, et au plus vite !

Le bedeau tourne les talons et revient avec le curé. Pépé s'en mêle. Après une courte discussion avec le curé, il met la main dans sa poche et sort une pile de piastres qu'il lui remet. On est maintenant des gens de première classe. Les fougères, les banderoles et les fleurs sont remises en place. Le cercueil de ma mère est enfoui dans le catafalque, et la cérémonie commence. Pendant la messe, deux hommes en civil font la quête entre les rangées de bancs. Je ne comprends pas. Pépé Léon a tout payé. Je me demande ce qu'ils vont faire avec l'argent qu'ils ramassent. Tout le monde a l'air de trouver ça normal. Je ne pose pas de questions.

Le cortège se dirige maintenant vers la gare Jean-Talon. Ma mère, dans son cercueil, est embarquée dans le train. Toute la famille suit. Direction: Mont-Laurier. Il semble bien que le problème de cimetière est réglé. Une fois arrivée, ma mère est exposée toute la nuit dans la maison familiale des Thouin. Le lendemain matin, nous allons tous au cimetière. C'est un grand champ avec des pierres tombales à perte de vue. Le monument des THOUIN est situé à l'entrée du cimetière. C'est une vaste construction en pierre avec des marches et une clôture de fer, et plein de noms et de dates y sont gravés dessus. La famille Thouin compte plus de morts que de vivants. Je trouve très étrange que le nom de pépé, celui de tante Ida, de la cousine Gilberte et de d'autres que je ne connais pas soient déjà gravés dans la pierre même s'ils ne sont pas encore morts. J'aimerais pas voir mon nom sur une pierre tombale avant d'être enterré. Pendant la descente du cercueil dans le trou, la famille lance des fleurs et des poignées de terre. Tout le monde baisse la tête et pleure. Si nous étions au cinéma, il serait écrit sur l'écran: FIN.

28

Il y a six heures de train de Mont-Laurier à la gare Jean-Talon. C'est long. Les trois premières heures, ça peut aller ; après, je ne sais plus où poser mes fesses. En juin, il fait chaud dans le train. En plus, la locomotive chauffe au charbon. Si j'ouvre la fenêtre, je suis couvert de boucane et de suie. Ça brasse dans les détours, puis il n'y a que des *peanuts* salées à manger. J'ai eu mal au cœur à partir de Sainte-Thérèse. J'ai failli vomir quand le train s'est arrêté à Bordeaux, mais j'ai tenu le coup jusqu'à la gare. Pour mon père, le voyage s'est bien passé. Il a dormi tout le long.

Je suis retourné à l'école juste à temps pour passer mes examens de fin d'année. Le frère Albert m'a beaucoup aidé. Il m'a trouvé une place, dans la dernière rangée, en arrière de la classe. Pendant les examens, il passait près de moi et me refilait des réponses. J'ai bien apprécié son aide. J'avais des grands creux de connaissances et des trous de mémoire. Ça devrait aller mieux l'année prochaine.

Nous sommes retournés, mon père et moi, à la clinique de la Ligue antituberculeuse pour connaître les résultats de notre dernière photographie des poumons. Le médecin nous a accueillis dans une petite salle mal éclairée. La photo (des poumons) de mon père était dans un cadre, sur le mur. Le médecin s'est approché de la photo, il l'a examinée, le nez collé sur le cadre. Au bout d'un moment, il a souri et a annoncé à mon père que tout était beau. Aucun signe de tuberculose. Ensuite, le médecin est allé chercher ma photo (des poumons), puis il l'a aussi accrochée au mur. À l'aide d'une longue baguette en bois, il s'est arrêté sur un point précis :

– Je ne sais pas trop quoi penser, dit le médecin. Vous voyez, là, dans la partie inférieure du poumon, ce n'est pas très clair. On dirait une légère grisaille. Ce n'est pas une tache proprement dite, mais c'est brumeux tout le long du poumon. Je ne peux pas faire de diagnostic exact. Ça peut dépendre de bien des choses : un défaut dans la pellicule, une mauvaise position du patient au moment de la radiographie, une erreur lors du développement... Bref, à première vue, ce n'est pas trop grave. En attendant, l'enfant doit prendre du repos et du grand air. Pas d'exercices violents, une saine nourriture et une bonne sieste d'une heure ou deux, chaque jour.

C'est tout un programme pour les vacances ! Deux heures de sieste chaque jour ! Tout ça à cause d'un peu de brouillard dans le poumon. La prochaine fois, j'espère que la clinique engagera un meilleur photographe. Mon père discute en secret avec le médecin. Ils s'échangent une poignée de mains et de grands sourires. Mon père ne me dit rien. Lui, il est chanceux, sa photo est bonne. Il n'est pas obligé de faire la sieste tous les jours.

À peine quinze jours après l'enterrement de ma mère, pépé Léon est de passage à la maison. Il n'a pas apporté son boudin habituel ni son enveloppe remplie d'argent. Il est venu discuter et vider quelques bouteilles de bière avec mon père. Je rentre à la maison en début de soirée. La table de cuisine est remplie de bouteilles de Black Horse vides. Dès que je mets les pieds dans la cuisine, pépé m'accroche par le bras et m'assoit à côté de lui. Je viens de comprendre que j'étais le sujet de leur conversation.

– Alors, Pierre-Paul, l'école est finie! dit pépé Léon. Tu dois être content. Tu es maintenant en vacances pour deux longs mois. Justement, nous discutions de ça, ton père et moi. Le médecin a recommandé du repos et du grand air. Ça tombe bien! Nous allons nous occuper de toi à Mont-Laurier. Tu t'ennuieras pas. J'ai plein de projets pour toi.

– Le médecin de la Ligue antituberculeuse a dit que ton cas n'était pas grave, mais qu'il fallait être prudent quand même, ajoute mon père. Un petit séjour à Mont-Laurier te fera du bien.

– Je retourne dans trois jours, dit pépé. Prépare ta valise. Je viendrai te prendre. Tout le monde au village a bien hâte de te revoir. Tu vas voir, on va bien s'arranger.

Si je comprends bien, j'ai pas le choix: «Prépare ta valise. Je viendrai te prendre.» Ça veut dire aussi deux mois à manger du boudin, à ramasser le bran de scie dans le moulin, à me coucher à l'heure des poules tous les soirs, sans compter les siestes, et à me lever au chant du coq. À l'enterrement de ma mère, je suis resté trois jours à Mont-Laurier. Je sais ce que c'est. À part de pêcher la barbote, de ramasser des framboises et de corder de la planche dans le moulin à scie, il n'y a rien à faire. Le restaurant le plus proche est à deux milles de la maison. Il n'y a pas de bicyclette, pas de jeunes de mon âge, mais plein de cochons qui puent, des vaches qui chient de grosses galettes de merde et des vieilles filles qui tricotent sur la véranda. J'espère seulement revenir en septembre complètement guéri de la brume dans mes poumons. Je ferais mieux d'aller me coucher avant d'apprendre d'autres nouvelles comme celle-là. Je m'ennuie déjà du 306 Ontario, de Dora, de mon copain Yvon et de Gabrielle.

La veille de mon départ, je passe toute la journée chez les Landreville. Toute la famille, y compris Dora, est très heureuse de me voir partir pour Mont-Laurier. Je comprends que tout le monde veut mon bien. Mais je me pose quand même des questions. C'est comme s'ils me disaient : « Bon voyage ! On est bien contents. Tu reviendras dans deux mois… si on est encore là. » Avant de partir, je leur demande de ne pas m'oublier, parce que, moi, je vais beaucoup m'ennuyer d'eux. Je leur dis aussi que je croyais, en venant les voir, qu'ils me demanderaient de ne pas partir pour Mont-Laurier.

– C'est pour ton bien, dit Dora. Allons, p'tit frère ! Tu sais bien que personne ne t'oubliera. Tu nous reviendras en septembre avec une nouvelle santé. Nous serons tous là à t'attendre.

J'embrasse tout le monde. Gabrielle met ses deux bras autour de mon cou et m'embrasse sur les deux joues. Je n'en demandais pas tant. Je suis bien content quand même. Gabrielle semble moins snob. C'est vrai que je ne cours plus après elle comme avant. Je suis plus indépendant.

Je prépare ma valise. Pas compliqué. Il suffit de vider ma boîte de linge, qui est sous le lit, dans une grosse valise brune en carton épais, une sorte de carton qui imite le cuir. C'est assez solide pour faire le voyage. J'attends pépé Léon sur le trottoir, en face de la maison. Le père Uzéreau me rejoint en courant, le tablier attaché autour de sa taille et les deux bras dans les airs.

– Passe de belles vacances, dit le vieux Michel. Ne t'inquiète pas. Tu vas revenir en pleine santé. Je vais continuer à recueillir des informations au sujet de Philippe. À ton retour, je te raconterai tout ce que je sais.

Pépé Léon vient d'arriver en taxi. Bonjour, tout le monde ! À bientôt !

29

Je suis de retour de Mont-Laurier depuis dimanche. Deux mois à la campagne, juillet et août (deux mois de trente et une jours), ça ruine un été. Je suis retourné à l'école dès mon arrivée. Un nouveau professeur, de nouveaux compagnons de classe et de la pluie chaque jour, à la fin des classes. Donc, la bicyclette est toujours accrochée dans le hangar. À la maison, la vie a repris où je l'avais laissée. Mon père continue de construire des chars d'assaut, la nuit comme le jour. Je n'ai pas vidé le linge de ma valise dans ma boîte de carton, sous le lit. J'ai tout simplement glissé la valise à côté des autres boîtes. Ma boîte à linge est trop petite. J'ai reçu plein de cadeaux (surtout des vêtements) durant mon séjour à Mont-Laurier : un chandail, deux chemises à carreaux, un pantalon pour le dimanche et des *overalls* pour les autres jours, des sandales (trop grandes) et une casquette (trop petite). Je suis équipé pour la saison.

Cet après-midi, je rends visite au père Uzéreau. Il n'est pas seul. Sa sœur habite chez lui. Elle ne lui ressemble pas du tout. Elle paraît beaucoup plus jeune. J'ai des doutes. C'est un vieux snoreau, il ne me dit pas la vérité. Cette fille n'a rien d'une sœur. Elle est belle avec de longs cheveux noirs. Il est comme la veuve Dolbec. Il doit avoir peur de dormir seul, la nuit. Le vieux « fouineux » n'a pas fouiné comme d'habitude. Il n'a pas de nouvelles fraîches. Même si le chroniqueur judiciaire du journal *Le Canada* continue de manger gratuitement au restaurant du père Michel, ça donne rien... pour le moment, dit-il. Il croit que le journaliste a de bons contacts avec les juges et les avocats et qu'il va revenir avec des nouvelles sensationnelles. Je n'y crois pas. Le père Uzéreau est de plus en plus déconnecté.

Heureusement, l'avocat de Philippe est bien branché. Maître Panneton nous attend, mon père et moi, au palais de justice. Nous arrivons tôt le matin. L'avocat est déjà au travail.

– Le procès de Philippe est déjà sur le rôle, dit Maître Panneton. Nous allons procéder au choix du jury aujourd'hui, et la Couronne fera entendre ses premiers témoins aussitôt le jury désigné, dans les prochains jours. Si vous voulez assister au procès, venez le matin, vers dix heures. Je serai quelque part dans le couloir du Palais. Ne vous inquiétez pas. Ça devrait bien aller.

C'est curieux. L'avocat ne semble pas s'intéresser à ce que j'ai dit aux policiers ni à ce que les policiers m'ont demandé. Nous devions en reparler. Il semble que ce n'est plus important. Il doit penser que je raconte n'importe quoi. Tant pis ! Je croyais savoir des choses qui auraient pu aider à défendre Philippe. Maître Panneton doit avoir d'autres trucs dans son chapeau.

En sortant du Palais de justice, mon père se rend directement aux Shops Angus. Je marche jusqu'au 306 Ontario. Je frappe un nœud. Les Landreville sont absents. Ça tombe mal. C'est ma première visite depuis mon retour de Mont-Laurier. Avec le procès de Philippe qui commence, ça me fait beaucoup de choses à raconter. Je m'assois dans les marches d'escalier du 312 et j'attends. Tout à coup, j'aperçois Dora qui s'amène. Nous

nous embrassons comme p'tit frère et grande sœur. Je lui parle un peu de mon voyage à la campagne, mais je sens que les histoires de vaches, de cochons et de bran de scie ne l'intéressent pas beaucoup. Quand je lui dis que mon frère va subir un procès pour meurtre, c'est autre chose.

– Je serai à tes côtés durant ce procès, dit-elle. Je ne veux pas te laisser tout seul. D'ailleurs, j'adore les procès, surtout les procès pour meurtre. J'espère que tu n'es pas trop bouleversé par ce qui t'arrive. Nous avons beaucoup pensé à toi durant ces deux mois. Moi, Yvon, Gabrielle… tout le monde. Maintenant que tu es de retour, on va s'occuper de toi.

C'est rare qu'il n'y ait personne chez les Landreville. Je demande à Dora si la famille a déménagé. Si je ne peux plus venir au 306, je vais être complètement perdu.

– Mais non ! Madame Landreville est allée au dispensaire de l'hôpital pour ses jambes, Yvon et Gabrielle sont à l'école… Et toi, comment se fait-il que tu n'es pas à l'école ? Dis-moi pas que je vais encore être obligée de m'occuper de tes devoirs, de ton bulletin et de ton frère Émile.

Je la rassure au sujet des devoirs, du bulletin et du frère Émile. Par contre, je vais prendre un peu de retard à l'école parce que je veux assister au procès de Philippe. Je rappelle à Dora ce que nous a dit Maître Panneton : aussitôt le jury désigné, il faut passer au Palais de justice vers dix heures, le matin. Je serai là. Je me sentirai moins seul si elle est à mes côtés. Dora s'engage dans l'escalier et disparaît derrière la porte du 312. Avec le temps, ce qui se passe derrière cette porte est de moins en moins mystérieux. Mais je ne pose surtout pas de questions. Chacun a le droit de choisir le genre d'effort de guerre qu'il désire. Tout le monde ne peut pas construire des chars d'assaut.

C'est aujourd'hui que commence pour de vrai le procès de Philippe. Nous sommes tous dans les passages du Palais de justice. Il y a plein de monde : des avocats en robe noire, des jeunes avec leurs parents et des vieux seuls et un peu perdus. Tous ces gens-là attendent de passer en cour. Maître Panneton, du haut de ses sept pieds (peut-être six pieds et demi) domine la cour. Il parle à tout le monde. J'espère que Philippe est son principal client. Il s'approche de moi et de mon père. Sans dire un mot, il nous prend par un bras et nous emmène au tribunal. Nous prenons place dans la première rangée.

Je revois Philippe pour la première fois depuis des mois. Il vient d'entrer et de s'asseoir au banc des accusés. Il porte une chemise bleu-gris, il a les cheveux rasés et il a beaucoup maigri. Je trouve injuste de l'avoir ainsi déguisé en criminel. Ça peut influencer le juge. Mais Victor dit que c'est le jury qui décidera si Philippe est coupable ou non. Même à ça, ils auraient pu lui trouver un veston, une chemise et une cravate. Je vais en parler à Maître Panneton. Mon père, assis à mes côtés, tient un grand mouchoir dans sa main. Je ne sais pas s'il souffre d'un rhume de cerveau ou s'il se prépare à pleurer. Il regarde Philippe à tout bout de champ. Je jette un coup d'œil derrière moi et j'aperçois Dora, seule, assise dans la dernière rangée. Elle regarde du côté des jurés et semble bien excitée.

Le juge fait son entrée. Tout le monde se lève. On se croirait au théâtre. L'avocat de la Couronne appelle le premier témoin. C'est le médecin légiste. Il sort des grands mots pour dire que la victime a été frappée à la tête avec un objet « consistant… contenant » ou con… quelque chose (je n'ai pas bien saisi), dans la nuit du 16 au 17 novembre dernier, entre deux heures et six heures du matin. L'avocat pose deux autres questions. Le médecin répond comme un médecin. Je ne comprends rien. Maître Panneton se lève et dit : « Pas de questions. » Ça commence mal. Il pourrait au moins poser des questions.

Le deuxième témoin est le policier Pagé. Je le reconnais. C'est lui qui est venu m'interroger à la maison. L'avocat de la Couronne le fusille de questions. Il raconte qu'il a trouvé une pince-monseigneur tachée de sang à l'arrière du magasin. Il ajoute avoir longuement interrogé l'accusé, dans les jours qui ont suivi. L'analyse en laboratoire a démontré que le sang sur l'objet était bien celui de la victime, que les empreintes sur la pince étaient celles de l'accusé, que l'accusé a avoué avoir acheté cette pince-monseigneur quelques jours auparavant dans une quincaillerie. Il dit ensuite avoir interrogé le quincaillier, madame Dolbec et un gardien de nuit de la Big Four Shoes. (Il oublie de dire qu'il m'a aussi interrogé.) Pendant de longues minutes, il consulte un calepin noir et raconte dans le détail le résultat de son enquête. C'est démoralisant pour Philippe. J'ai comme l'impression qu'il est déjà condamné. J'espère que Maître Panneton va intervenir. Il se lève.

MAÎTRE PANNETON : Lorsque vous êtes arrivé sur les lieux, après que l'accusé vous eut appelé, avez-vous remarqué si la porte de l'épicerie avait été forcée ?

POLICIER PAGÉ : Le cadre de la porte avait été forcé, et la serrure était endommagée.

MAÎTRE PANNETON : Est-il possible que la pince-monseigneur utilisée pour forcer la porte soit la même que celle que vous avez trouvée à l'arrière de l'épicerie.

POLICIER PAGÉ : C'est une hypothèse défendable.

MAÎTRE PANNETON : Avez-vous vérifié s'il y avait eu vol dans l'établissement ?

POLICIER PAGÉ : Le tiroir-caisse était ouvert, mais il était vide.

MAÎTRE PANNETON : Vous oubliez de dire que vous avez aussi interrogé le frère de l'accusé, Pierre-Paul Dubois. Lui avez-vous demandé où était l'accusé, entre deux heures et six heures du matin, dans la nuit du 16 au 17 novembre dernier ? Si oui, qu'a-t-il répondu ?

POLICIER PAGÉ : Il a dit que l'accusé était dans son lit. Il a aussi ajouté que son frère a l'habitude de se coucher à onze heures, chaque soir, et de se lever à sept heures, le matin, pour aller ouvrir l'épicerie. Mais quand nous lui avons demandé s'il se souvenait exactement de ce qui s'était passé dans la nuit du 16 au 17 novembre, il a répondu qu'il n'y a pas de calendrier dans la chambre, et que les choses avaient dû se passer comme d'habitude.

MAÎTRE PANNETON : D'après vous, est-ce possible que l'accusé eût été dans son lit, cette nuit-là ?

POLICIER PAGÉ : D'autres témoignages recueillis au cours de l'enquête ont tendance à prouver le contraire.

MAÎTRE PANNETON : Vous avouerez, tout de même, qu'un doute persiste. Enfin, le jury appréciera !

LE JUGE : Maître, je vous en prie, nous n'en sommes pas encore aux plaidoiries.

MAÎTRE PANNETON : Je m'excuse, votre Seigneurie. Pas d'autres questions.

Je trouve que ça manque d'action. Maître Panneton aurait dû poser plus de questions. Le policier a parlé sans arrêt. Il a plein de notes dans son calepin noir. À un moment donné, il faut l'arrêter. Si tu laisses parler ces gens-là sans les interrompre, ils peuvent te faire pendre en quelques minutes. Tiens, je viens de voir le père Uzéreau assis derrière nous. Le vieux « fouineux » doit retenir tout ce qui se dit. Il va aller placoter de ça à ses clients. Je me retourne pour le saluer. En même temps, je vois que Dora est toujours là. Elle me sourit.

Un autre témoin se présente. Un nommé Vogel. C'est le quincaillier. Il est vieux, courbé et parle difficilement le français. Il se souvient très bien d'avoir vendu un *crow-bar* (l'avocat parle de pince-monseigneur) à Philippe, quelque part au début de novembre. L'avocat de la Couronne montre l'objet au quincaillier. « C'est en plein celui-là », ajoute Vogel. Maître Panneton défripe ses sept pieds de carcasse et bondit :

MAÎTRE PANNETON : Pouvez-vous me dire, monsieur le quincaillier, combien de pinces-monseigneur vous avez en stock ?

VOGEL : J'eus acheté six *crow-bars*, au mois de *june*. Il reste *one*. J'eus vendu les autres.

MAÎTRE PANNETON : Savez-vous à qui vous avez vendu les autres *crow-bars*, comme vous dites ?

VOGEL : J'sais pas. Des personnes *I don't know*.

MAÎTRE PANNETON : (Il prend la pince-monseigneur et la met sous le nez du quincaillier.). Pouvez-vous jurer que ce *crow-bar* est bien celui que vous avez vendu à l'accusé ? Est-ce possible que ce *crow-bar*, celui-ci en particulier, ait été vendu à quelqu'un d'autre ?

VOGEL : *May be.* Je pas gardé le nom de tous mes clients. Tous les *crow-bars* sont pareils.

MAÎTRE PANNETON : Si je comprends bien, vous n'êtes pas certain que cette pince-monseigneur est bien celle que vous avez vendue à l'accusé.

VOGEL : Tout que je sais, je vendu un comme ça à l'accusé. *That's all !*

Le quincaillier s'en retourne tête basse. Maître Panneton avait de bonnes questions. Le témoin n'a pas marqué de points contre Philippe. C'est toujours ça de gagné. Le procès commence à prendre une autre tournure. Je ne sais pas comment Philippe se sent. Lui seul sait de quelle façon tout ça s'est passé. Il doit trouver le temps long. Malheureusement, c'est pas fini.

L'autre témoin est le gardien de nuit de la Big Four Shoes. Une manufacture de chaussures, juste en face de chez nous et de biais avec l'épicerie. Je me demande un peu ce qu'il fait là. Son nom est Picard. Je n'ai pas bien entendu son prénom. Il a l'air fendant. Un gardien de nuit qui dort le jour et qui semble tout excité de venir faire son petit numéro devant le tribunal. Il raconte que, dans la nuit du 16 novembre, vers trois heures du matin, alors qu'il faisait sa *run* d'inspection, il a aperçu l'accusé qui rentrait à l'épicerie. Il l'a salué. L'accusé lui a répondu. Il jure l'avoir reconnu, car il est un client habituel de l'épicerie, surtout le matin quand il finit son *shift* de nuit.

Au moment de quitter son travail, vers sept heures du matin, il a vu des policiers en face du commerce. C'est là qu'il a appris l'assassinat de monsieur Dolbec. Il a remarqué la présence de l'accusé, mais il ne lui a pas parlé. Le gardien de nuit se lance ensuite dans toutes sortes de réflexions bizarres. L'avocat de la Couronne l'interrompt et lui demande de s'en tenir aux faits. Après s'être répété sur certains détails, Picard avoue qu'il n'a rien d'autre à dire. Maître Panneton montre des signes d'impatience.

MAÎTRE PANNETON : Comment êtes-vous devenu témoin dans cette cause ? Est-ce vous qui êtes allé voir les policiers pour leur dire que vous aviez des choses à raconter, ou bien ce sont les policiers qui vous ont approché ?

PICARD : C'est moi qui suis allé voir les policiers. Je ne pouvais pas laisser passer une occasion de rendre service à la justice.

MAÎTRE PANNETON : À quel moment êtes-vous allé rencontrer les policiers ?

PICARD : Le jour même, dans l'après-midi. Je suis passé au poste de police et j'ai tout raconté.

MAÎTRE PANNETON : Maintenant, vous dites bien que vous avez reconnu l'accusé au moment où il RENTRAIT à l'épicerie. Était-il à l'extérieur ou déjà à l'intérieur de l'épicerie ?

PICARD : Il se dirigeait vers la porte d'entrée ; moi, j'étais sur le trottoir d'en face.

MAÎTRE PANNETON : Donc, vous l'avez aperçu de dos. Avait-il quelque chose dans les mains, un objet quelconque ?

PICARD : Il m'a semblé qu'il portait un sac ou quelque chose de semblable.

MAÎTRE PANNETON : À quelle distance étiez-vous de l'accusé ?

PICARD : Je ne sais pas trop... peut-être à cent ou deux cents pieds.

MAÎTRE PANNETON : Vous l'avez salué et il vous a répondu, et ce, même si l'accusé traînait un sac et vous tournait le dos. Vous rappelez-vous quels vêtements portait l'accusé ?

PICARD : Il portait une chemise et un pantalon.

MAÎTRE PANNETON : Précisez, s'il vous plaît.

PICARD : À trois heures du matin, il fait noir, et tous les vêtements sont gris.

MAÎTRE PANNETON : Dans l'obscurité, comme vous dites, tout est gris. Les traits de la figure de l'accusé devaient être tamisés par la noirceur. Au matin, lorsque vous avez revu l'accusé, est-ce qu'il portait la même chemise et le même pantalon ?

PICARD : Je ne sais pas. Je n'ai pas remarqué.

MAÎTRE PANNETON : Si je comprends bien, vous avez une meilleure vision la nuit. Je n'ai pas d'autres questions.

Maître Panneton a été superbe. Il a mis le gardien de nuit dans sa poche. Le juge demande ensuite s'il y a d'autres témoins. L'avocat de la Couronne parle d'un autre témoin, mais il réclame un délai de vingt-quatre heures. L'audience est reportée au lendemain. En sortant du tribunal, Dora me fait un clin d'œil de loin. Puis elle sourit en me faisant un autre signe, l'air de dire: « L'affaire est dans le sac. »

30

Je ne sais pas quoi penser de cette première journée de procès. Philippe a-t-il tué le père Dolbec ? Sinon, qui est l'assassin ? Ni mon père ni moi n'avons eu la chance de parler à Maître Panneton. J'espère qu'il continue de croire que mon frère est innocent. Mon père a préféré ne rien dire. Je ne peux pas savoir non plus ce que la famille en pense. Pépé est retenu à Mont-Laurier, Victor et l'oncle juge sont toujours à Trois-Rivières. Les Lupien ont choisi de se tenir loin. Il reste le père Uzéreau, mais je crains de lui demander son avis. Je pense qu'il croit, depuis le début, que Philippe est le coupable. Les policiers l'ont empoisonné avec des tas de mensonges, et le vieux Michel a empoisonné les policiers avec sa nourriture gratis. Belle gang ! Je n'ai pas le courage de retourner rue Ontario. Je ne veux pas mettre Dora dans l'embarras. Tout ce qu'elle va dire, ce sont des mensonges d'encouragement.

Ce matin, à dix heures, mon père et moi sommes au Palais de justice. Nous croisons Maître Panneton. Il nous dit que tout va bien. Tant mieux ! Autrement, je retourne à l'école. J'en ai assez entendu. Tous les témoins, jusqu'ici, accusent Philippe. Personne n'est venu défendre mon frère. Si on voulait m'écouter, je pourrais le défendre.

La salle d'audience est remplie. Mon père et moi sommes toujours assis dans la première rangée. Philippe vient de faire son entrée. Il a l'air plus abattu qu'hier. Une autre dure journée pour lui. Je me retourne et j'aperçois Dora. Elle est accompagnée d'une trâlée de filles du 312. J'ai reconnu la grosse Pauline, Gertrude aux-grands-pieds, madame Sénéchal, Liza la noir-corbeau, puis deux autres que je ne connais pas. Elles sont venues assister au spectacle. Il faut croire qu'elles aiment ça. Le père Uzéreau est là, lui aussi. Il devrait rester au restaurant et s'occuper de sa «sœur». J'espère que c'est la dernière journée, autrement il va falloir agrandir la salle.

L'avocat de la Couronne appelle le premier témoin. C'est la veuve Dolbec. Elle porte une robe noire qui lui monte jusqu'au cou. Elle tourne la tête pour ne pas voir Philippe et enlève ses verres fumés. Elle pourrait les garder, elle a les yeux croches. Elle semble très nerveuse. Mon père la fixe sans arrêt. Il va se ramasser avec un torticolis à la fin de la journée.

Madame Dolbec donne son nom, son adresse, sa profession et jure de dire la vérité, toute la vérité. Dans la nuit du 16 au 17 novembre, vers trois heures du matin, elle a entendu du bruit dans l'épicerie qui se trouve juste en dessous de sa chambre. Elle s'est levée et a marché jusqu'à la chambre de son mari. Elle précise qu'ils font chambre à part depuis des années; lui ronfle, et elle souffre d'asthme. Quand elle a constaté que son mari n'était pas là, elle ne s'est pas inquiétée. Toutefois, elle a mis beaucoup de temps à se rendormir. Au bout d'une bonne heure, le bruit a cessé. Elle est retournée dans la chambre de son mari. Elle voulait savoir pourquoi il était descendu à l'épicerie à une heure pareille. Comme il n'était toujours pas là, elle a pensé qu'il était sorti pour affaires ou qu'il avait décidé de travailler à ses papiers, dans le petit bureau aménagé derrière l'épicerie. En revenant dans sa chambre, elle a jeté un coup d'œil par la fenêtre qui donne dans la rue. Elle a aperçu l'accusé qui traversait la rue. Elle en a conclu qu'il devait avoir travaillé avec son mari, pour préparer l'inventaire de l'épicerie qui s'effectue toujours à ce temps-ci de l'année. Elle est retournée dormir jusqu'au matin.

AVOCAT DE LA COURONNE : Au matin, lorsque vous avez appris que votre mari avait probablement été assassiné, quelle a été votre première pensée ?

MADAME DOLBEC : J'ai pensé à une dispute qui avait mal tourné entre mon mari et l'accusé.

AVOCAT DE LA COURONNE : Pourquoi avez-vous imaginé un tel dénouement ?

MADAME DOLBEC : Mon mari avait des doutes au sujet de mes relations avec l'accusé. Lorsque mon mari s'absentait quelques jours, l'accusé habitait avec moi dans l'appartement. J'ai cru que c'était l'objet de la dispute.

AVOCAT DE LA COURONNE : En aviez-vous déjà parlé avec votre mari ?

MADAME DOLBEC : Une seule fois. Et les choses en sont restées là.

AVOCAT DE LA COURONNE : En aviez-vous aussi parlé avec l'accusé ?

MADAME DOLBEC : Plusieurs fois. Il disait toujours qu'il aimerait bien partager sa vie avec moi, non pas de temps en temps, mais comme mari et femme.

Soudain, j'entends du bruit dans les dernières rangées de la salle d'audience. Je me retourne. Les filles du 312 font tout un vacarme : elles parlent fort, sont debout et font des signes avec les mains. C'est Dora qui mène le bal. Je sais qu'elles sont venues à cause de moi… à la demande de Dora. Je me sens mal à l'aise. Le juge intervient.

LE JUGE : Un peu de décorum, s'il vous plaît. Sinon, je serai obligé de faire évacuer la salle.

Au bout d'un moment, l'interrogatoire de madame Dolbec se poursuit.

AVOCAT DE LA COURONNE : Lorsque les policiers sont arrivés sur les lieux, êtes-vous descendue à l'épicerie ?

MADAME DOLBEC : Non. J'étais trop nerveuse.

AVOCAT DE LA COURONNE : Dans les jours qui ont suivi, quelles ont été vos relations avec l'accusé ?

MADAME DOLBEC : Très tendues. Je n'osais pas lui dire que je l'avais vu dans la rue, cette nuit-là.

AVOCAT DE LA COURONNE : Lorsque votre voisine a déménagé, vous avez installé l'accusé dans l'appartement d'à côté. Pouvez-vous nous expliquer pourquoi ?

MADAME DOLBEC : L'accusé voulait s'installer chez moi. J'avais peur. J'ai préféré qu'il emménage dans le logement vide.

AVOCAT DE LA COURONNE : À quel moment avez-vous rencontré les policiers ?

MADAME DOLBEC : Une dizaine de jours plus tard. Ils sont venus m'interroger et je leur ai raconté ce que je viens de vous dire. C'est à ce moment-là qu'ils ont arrêté l'accusé.

AVOCAT DE LA COURONNE : Pas d'autres questions.

MAÎTRE PANNETON : Lorsque vous êtes allée dans la chambre de votre mari et que vous avez constaté qu'il n'était pas revenu, vous avez pensé qu'il était sorti pour affaires. De quelles sortes d'affaires pouvait-il s'agir ?

MADAME DOLBEC : Je ne sais pas trop. Mon mari brassait beaucoup d'affaires, mais il ne me tenait pas au courant.

MAÎTRE PANNETON : Lorsqu'il s'absentait durant quelques jours, était-ce pour vaquer à ce genre d'affaires que vous ignorez ?

MADAME DOLBEC : Peut-être. Il ne me donnait jamais de détails.

MAÎTRE PANNETON : Les fois où l'accusé vous a dit qu'il souhaitait vivre avec vous en permanence, quelle a été votre réaction ?

Madame Dolbec : Je lui ai dit que c'était bien compliqué.

Maître Panneton : Compliqué ? Vous n'avez donc rien fait pour le décourager dans ses plans ?

Madame Dolbec : Si j'ai dit « compliqué », c'était dans le but de le décourager.

Maître Panneton : Quand vous avez regardé par la fenêtre de votre chambre, vous avez vu un homme qui traversait la rue. L'avez-vous aperçu de dos ou de face ?

Madame Dolbec : De dos, de face ou de profil… je n'ai pas fait attention. D'ailleurs, je ne suis pas restée longtemps à la fenêtre. Dès que j'ai reconnu l'accusé, j'ai été rassurée. Je suis retournée me coucher.

Maître Panneton : Savez-vous comment était vêtu l'homme en question ?

Madame Dolbec : Je n'ai pas porté attention.

Maître Panneton : Vous avez décidé, comme ça, que c'était l'accusé, même si c'était en pleine nuit, et que l'homme faisait dos à votre fenêtre.

Madame Dolbec : Il y a des choses qui ne trompent pas.

Maître Panneton : Quand et dans quelle circonstance l'accusé vous a-t-il mis au courant de l'assassinat de votre mari ? Et dans quels termes vous a-t-il annoncé la nouvelle ?

Madame Dolbec : Le matin du 17 novembre, après l'ouverture de l'épicerie. L'accusé est monté à l'appartement et il m'a dit : « Monsieur Dolbec a été tué par un cambrioleur. »

Maître Panneton : L'avez-vous cru ?

Madame Dolbec : Sur le coup, peut-être. Mais après mûre réflexion, j'ai bien vu qu'il me mentait. Je me souvenais très bien l'avoir vu dans la rue, la nuit du meurtre.

Maître Panneton : Votre mari recevait-il parfois, à l'épicerie et chez vous, des visiteurs qui auraient pu être liés aux affaires mystérieuses qu'il brassait à votre insu ?

MADAME DOLBEC : Nous sommes dans le commerce. Il venait beaucoup de monde à l'épicerie. Je ne sais pas s'il venait des gens qui brassaient des affaires avec mon mari.

MAÎTRE PANNETON : C'est donc dire que vous n'aviez pas beaucoup d'intérêt pour ses affaires, à l'extérieur de l'épicerie. Pas d'autres questions.

Au même moment, un juré dans la première rangée s'écrase en pleine face, sur le plancher. Les autres jurés se lèvent et vont à son secours. Tout le monde est sous le choc dans la salle d'audience. Seul le juge garde son sang-froid. Il donne un coup de maillet sur son bureau et demande : « Y a-t-il un médecin dans la salle ? » Un gardien de sécurité, avec son écusson blanc des Ambulanciers Saint-Jean, se lève et va donner les premiers soins à la victime. On transporte le juré à l'extérieur.

LE JUGE : Étant donné les circonstances, et pour donner le temps au juré de retrouver ses esprits, la cause est reportée à mercredi prochain, le 26.

Je suis encore sous le coup d'un mélange d'émotions. D'abord, le témoignage de la veuve Dolbec, le regard de Philippe pendant le témoignage, la tête penchée et les yeux fermés de mon père, une odeur de poussière dans la salle et ce juré qui s'écrase. Quelle journée ! Heureusement, tout le monde sort du tribunal. Il va faire bon respirer un peu d'air pur. Sur le trottoir, en face du Palais, mon père discute avec Maître Panneton. De l'autre côté de la rue, Dora me fait signe d'aller la rejoindre.

– P'tit frère, dit-elle, il faut absolument que tu viennes chez les Landreville, dimanche prochain, après le souper. Mets ton habit du dimanche et peigne tes cheveux avec de la Bandoline. C'est très important. Il faut que je te parle du procès de ton frère.

Je ne vois pas ce qu'elle peut me raconter de plus. Je n'ai rien manqué du procès depuis le début. Je n'aime pas du tout mettre de la Bandoline dans mes cheveux. C'est collant et ça pue. Ça me fera quand même plaisir de voir Dora et de discuter avec elle. Mon père n'est pas très bavard par les temps qui courent. En se dirigeant vers son auto, Maître Panneton passe à côté de moi et me prend par le bras.

– Il faut que je te parle, dit-il. À la reprise des audiences, tu seras probablement appelé à témoigner. Enfin, prépare-toi en conséquence. Essaye de te rappeler ce que les policiers t'ont demandé quand ils sont allés t'interroger, et essaye de te souvenir aussi de ce que tu leur as répondu. J'aurais sans doute besoin de ton témoignage. Fais un petit effort de mémoire.

Des efforts de mémoire, j'en fais tous les jours à l'école. Ça marche pas toujours. Mais si c'est pour aider Philippe, pas de problèmes ! Je vais me rappeler de tout... et peut-être même un peu plus.

J'arrive au 306 Ontario vers sept heures, en habit du dimanche. Yvon écoute la radio dans le salon, et Gabrielle est assise dans un coin. Elle ne semble pas en forme. Elle porte des lunettes fumées et regarde au plafond. Elle ne doit pas voir grand chose. Dora et ses amies du 312 sont dans la cuisine avec Marcel et madame Landreville. Ils m'attendent.

Dora m'assoit à ses côtés, autour de la table de cuisine. Les autres me dévisagent comme si j'étais un évadé de la Maison des nains, rue Rachel. Ça doit être à cause de mes cheveux poignés dans la Bandoline. Dora raconte que, le premier jour où elle est venue au procès de Philippe, elle a reconnu un des membres du jury : le bijoutier Jolivet. Un gros client du 312. Lors de sa dernière visite, il a maltraité Suzie, une des filles. Elle a mis des mois à s'en remettre. Il ne venait plus au 312 depuis ce temps-là. J'ai décidé qu'on allait lui faire peur. C'est pour ça que le lendemain je suis revenue avec mes copines. Nous avons fait tout un chahut. Nous lui avons fait des signes pour lui dire qu'on l'attendait après le procès et qu'il passerait un mauvais quart d'heure. Sous la pression, Jolivet a craqué. Il a eu un malaise du cœur. Il a été transporté à l'hôpital pour des examens. Il doit retourner au Palais de justice, mercredi pour la reprise du procès.

J'interromps tout de suite Dora. Elle me fait penser que Maître Panneton m'a demandé de témoigner à la reprise du procès, mercredi prochain. Je veux savoir ce qu'elle en pense.

– C'est parfait, p'tit frère. Tu répéteras ce que tu m'as dit, l'autre jour.

La grosse Pauline et Gertrude portent un froc blanc, des souliers blancs, un voile blanc en moustiquaire sur la tête et, malgré les restrictions du temps de guerre, des bas blancs en soie. Marcel éclate de rire.

– Eh bien, les filles! On dirait de vraies infirmières. Où avez-vous pris ça?

– Aux costumes Ponton, dit la grosse Pauline. Je trouve que j'aurais dû faire une infirmière. J'en aurais guéri, des hommes…

– C'est assez comme ça, dit Dora qui s'impatiente. Il est temps de partir.

Nous arrivons à l'hôpital, en Cadillac blanche, juste avant la fin des visites. Dora et Marcel me tiennent par la main, comme si j'étais leur fils en habit du dimanche. Pauline et Gertrude marchent devant nous, costumées en infirmières. Marcel dit: «C'est la chambre 286.» Un gardien de sécurité est assis devant. Ce n'est pas un vrai policier, car il porte un uniforme brun. Les fausses infirmières s'arrêtent devant le gardien et lui passent la main dans les cheveux. Pauline lui caresse une cuisse. Le gardien se lève, suit les deux copines du 312, et ils disparaissent tous les trois, au fond du couloir.

Enfin, le chemin est libre. Dora et Marcel me traînent dans la chambre. Dès que le bijoutier Jolivet nous aperçoit, il se lève carré dans son lit, les deux yeux comme des montres de poche.

– Qu'est-ce que vous faites ici, bande de voyous ? Je vais appeler à l'aide, dit le bijoutier en cherchant le cordon de secours.

– Tu ne bouges pas, mon gros, dit Dora. Tu nous écoutes, ou bien on te transforme en saucisses. Je serai brève. Tu vois le petit qui nous accompagne ? Il va témoigner, mercredi prochain, au procès de son frère. Ce qu'il va dire est la vérité. Quand vous allez délibérer pour le verdict, t'es mieux d'arriver avec un acquittement. Autrement…

– Autrement, dit Marcel, tu passeras pas Noël dans la neige, mais à six pieds sous terre. J'espère que tu as compris.

– Je ne suis qu'un juré, dit Jolivet. Je n'ai pas le contrôle sur les autres membres du jury.

– C'est ton problème, dit Dora. Tu devras tenir ton bout. Tu vas convaincre les autres que l'accusé n'est pas coupable. Lors de ta dernière visite au 312, tu as magané la petite Suzie. Je te le répéterai pas une deuxième fois. Tu fais acquitter l'accusé, ou c'est toi qui vas te balancer au bout de notre corde.

– Et c'est moi qui vais être le bourreau, ajoute Marcel.

Sur ces dernières paroles, le bijoutier se laisse tomber dans son lit et se prend la tête à deux mains. Nous sortons de la chambre. Il n'y a personne autour. Les fausses infirmières et le gardien de sécurité ne sont pas encore revenus de leur marche dans le couloir. Nous rentrons en Cadillac. Je ne sais pas si j'ai hâte à mercredi. Il faut que je prépare mon témoignage.

31

Dure journée. C'est mon tour. Je dois me rendre au Palais de justice pour témoigner. Depuis hier soir, je cherche, dans ma mémoire, les questions des policiers et, dans ma tête, ce que j'ai bien pu leur dire. Tout s'embrouille. Il me manque des grands bouts. Les petits bouts dont je me souviens sont échevelés comme mes cheveux quand je ne mets pas de Bandoline. Il faut que je donne un coup de brosse à mes idées. Si le bavardage qui vient de la cuisine peut cesser, ma mémoire se remettra à fonctionner.

Depuis ce matin, toute la famille est réunie à la maison: mon père, pépé Léon, l'oncle juge et le cousin Victor. Pépé a apporté une bouteille de gros gin. Mon père, qui en a bu un grand verre, essaie de résumer les témoignages entendus ces derniers jours. L'oncle juge pose des tas de questions, et pépé Léon l'interrompt tout le temps. Mon père est tout mêlé. Les autres, ils n'avaient qu'à venir au procès. Maintenant, il est trop tard. Le temps presse. Maître Panneton nous attend au Palais de justice à dix heures.

La salle d'attente du Palais est remplie de monde. L'audience n'est pas commencée. Je suis seul dans mon coin. L'avocat de Philippe discute avec mon père et les autres membres de la famille. J'aperçois soudain Dora avec sa gang du 312. Elle s'approche de moi et me présente une jeune femme assise dans une chaise roulante.

– Salut, p'tit frère. Nous avons amené la petite Suzie. Quand le bijoutier Jolivet la verra dans son fauteuil roulant, il craquera. J'espère que tu n'as parlé à personne de notre visite à l'hôpital. C'est très important que tu gardes ta langue. Autrement, on va avoir des tas de problèmes. Bonne chance pour ton témoignage. N'oublie pas de dire tout ce que tu m'as raconté.

C'est une mauvaise journée pour témoigner. Si le juge apprend ce que nous avons fait à l'hôpital, il va me questionner. Je ne sais pas quoi répondre. Je ne dirai rien, je regarderai Maître Panneton et je me mettrai à pleurer. Ils ne peuvent pas me mettre en prison pour une simple visite à l'hôpital. Tandis que Marcel, Dora et les filles du 312, ils connaissent beaucoup de policiers. Ils vont se débrouiller.

Maître Panneton s'approche de moi. J'ai les mains toutes mouillées. J'ai peur que mon témoignage tourne mal. Si je connaissais les questions à l'avance, ce serait plus facile. Je crains de tomber dans un trou de mémoire.

– Comme témoin, tu ne peux pas assister à l'audience, dit Maître Panneton. Tu vas demeurer ici, et nous viendrons te chercher le moment venu. Tout se passera bien. Tu réponds aux questions calmement. N'en dis pas trop. Juste ce qu'il faut.

L'avocat de Philippe disparaît dans la salle d'audience. Il est trop pressé pour me parler plus longtemps. J'aurais aimé qu'il me dise ce qui m'attend. J'ai le cœur qui bat dans le vide. Dire « juste ce qu'il faut »... Je le sais t'y, moi, ce qu'il faut dire ? Je ne sais même pas quelles questions ils vont me poser. J'aurais mieux fait d'aller à l'école, ce matin. Il est encore temps de me sauver. Je tourne en rond dans la salle d'attente depuis au moins quinze minutes. Je regarde autour de moi. Il n'y a personne. Je fixe la grande porte et, au même moment, j'entends quelqu'un qui crie mon nom. Un vieux bonhomme en robe noire me demande de le suivre. Trop tard. Je n'ai plus le choix. Je le suis.

La boîte à témoin est toute petite. Je regarde Philippe qui baisse la tête. La salle d'audience est remplie. Dans les dernières rangées, Dora et sa gang du 312 me sourient ; dans les premières rangées, toute la famille m'observe d'un air inquiet. J'ai comme l'impression que c'est moi l'accusé. Je tourne la tête du côté du jury. J'aperçois le bijoutier Jolivet. Il est blême comme une face de carême. J'espère qu'il ne va pas perdre connaissance une autre fois. J'ai les jambes molles comme la fois que j'ai été surpris, par la police, à lancer des tomates pourries par la fenêtre du couvent des bonnes sœurs.

Enfin, il se passe quelque chose. Je donne mon nom et je jure de dire la vérité, toute la vérité, rien que la vérité. Quelle idée ! Je suis venu pour ça. Allez-y, posez-les vos questions. Maintenant, je suis prêt. Mes jambes sont moins molles, et la mémoire me revient. L'avocat de Philippe a sûrement vu que j'étais prêt. Il s'avance vers moi.

MAÎTRE PANNETON : Quel lien de parenté existe-t-il entre l'accusé et vous-même ?

Il commence par une bien drôle de question. Je pensais que ça serait plus difficile. Je n'ai même pas besoin d'utiliser ma mémoire. Philippe est plus qu'un frère pour moi : c'est un ami et un modèle. Cependant, Maître Panneton m'a prévenu : « N'en dis pas trop. » Alors, je réponds simplement : « C'est mon frère. »

MAÎTRE PANNETON : À la maison, est-ce que vous et votre frère partagez la même chambre ?

C'est comme les tests de géographie, à l'école : « Vrai ou faux – oui ou non. » C'est pas un questionnaire bien compliqué. J'ai juré de dire la vérité, je réponds : « Oui. »

MAÎTRE PANNETON : Vous souvenez-vous où était l'accusé dans la nuit du 16 au 17 novembre dernier ?

Cette question ressemble beaucoup à celle que les policiers m'ont posée lorsqu'ils sont venus m'interroger. Si je ne veux pas répéter les choses de travers, je fais mieux de fouiller dans ma mémoire. « Mon frère était dans son lit. Je suis bien placé pour le savoir parce que nous ne partageons pas seulement la même chambre, mais nous dormons dans le même lit depuis des années. Comme d'habitude, Philippe est venu se coucher vers onze heures. J'étais déjà couché depuis une demi-heure. Quand mon frère va à la taverne dans la soirée, il ronfle toute la nuit. Cette nuit-là, il n'a pas dû aller à la taverne. Je ne l'ai pas entendu ronfler. Il s'est levé vers sept heures pour aller travailler à l'épicerie et je me suis levé à sept heures et demie pour aller à l'école. »

MAÎTRE PANNETON : Selon vous, l'accusé s'est-il absenté de la maison au cours de la nuit du 16 au 17 novembre ?

Tiens ! Les policiers m'ont déjà posé une question semblable, mais pas de la même façon. C'est embêtant. Les policiers se promènent toujours avec un petit calepin noir où ils notent tout ce qu'on dit. Je me souviens vaguement de ce que j'ai raconté. Mais comme la question est un peu différente, je vais répondre d'une autre façon. « Mon frère n'est pas sorti de la maison cette nuit-là, c'est certain ! Je m'en serais aperçu tout de suite. Il n'y a pas de garde-robe dans la chambre. Chaque soir, avant de nous coucher, mon frère et moi jetons notre linge sur une petite table, dans la chambre, encombrée de toutes sortes d'objets, puis nous plaçons nos bas et nos bottes sous le lit, dans une boîte en bois avec un couvert (je ne vais pas dire que c'est parce que les bas et les bottes puent trop pour les laisser traîner dans la chambre). Si mon frère était sorti de la maison en pleine nuit, il aurait bruyamment tiré la boîte de bois sous le lit et fait tomber tout ce qu'il y avait sur la table en prenant son linge. Un vacarme d'enfer ! C'est comme ça chaque matin, quand il se lève. En plus, comme il faisait très froid cette nuit-là, mon frère aurait tiré une autre boîte sous le lit pour prendre sa tuque et ses mitaines. Philippe fait beaucoup de tapage quand il se lève. »

MAÎTRE PANNETON : Cela m'amène à une autre question. Un témoin est venu dire ici qu'il avait vu l'accusé se diriger vers l'épicerie Dolbec, vers trois heures du matin, dans la nuit du 16 novembre. Le témoin a prétendu également que l'accusé portait alors une chemise et un pantalon. Pouvez-vous dire à la Cour si, à votre avis, l'accusé aurait pu porter une chemise et un pantalon, cette nuit-là ?

Sa question est donc bien longue. Je la repasse dans ma tête pour bien comprendre ce qu'il veut savoir. Je ne peux pas lui demander de la répéter. Je vais répondre du mieux que je peux. « Quand mon frère sort de la maison, il porte toujours des pantalons. Mais je ne l'ai jamais vu en chemise, surtout au mois de novembre. Il porte toujours des gros chandails de laine, enroulés jusqu'au cou. Je sais qu'il a une chemise blanche, mais il ne la porte jamais. »

MAÎTRE PANNETON : Pas d'autres questions.

C'est tout ? Je m'attendais à plus de questions. Maître Panneton craint peut-être que je réponde de travers. Maintenant, voilà l'autre qui s'avance. Il a des grosses lunettes et une petite moustache. Lui, c'est l'avocat qui voudrait que Philippe soit coupable. Je me demande qui le paie pour ça. En tout cas, c'est pas un beau métier de faire pendre les gens.

AVOCAT DE LA COURONNE : Vous avez formellement affirmé que l'accusé n'a pas quitté sa chambre, dans la nuit du 16 au 17 novembre dernier, entre deux heures et six heures du matin. Pourtant, vous étiez moins catégorique lorsque les policiers vous ont interrogé, il y a quelques mois. Vous avez alors déclaré que vous n'aviez pas de calendrier dans votre chambre, laissant entendre, par le fait même, que vous n'étiez pas certain de la date. Comment expliquer alors que vous êtes, aujourd'hui, persuadé qu'il s'agit bien de la nuit du 16 au 17 novembre ?

Encore une question qui n'en finit plus ! C'est la première fois que je témoigne. Je ne suis pas un expert. Je me souviens à peine de l'affaire du calendrier. Ça m'a passé par la tête sans réfléchir. Ce n'est pas ce que je voulais dire. Tu veux savoir pourquoi je me souviens de la date ? Je vais te le dire. « Durant la journée, je suis allé au cinéma. Les actualités filmées montraient des otages fusillés par les Allemands. Le soir, j'ai eu du mal à m'endormir, puis j'ai fait un mauvais rêve. J'ai rêvé que les Allemands avaient aligné tous les hommes du quartier, devant la vitrine chez Dolbec, puis ils les avaient tous abattus à la mitrailleuse. Je ne me souviens pas si Philippe était parmi les otages. Par contre, j'ai bien reconnu monsieur Dolbec. C'était affreux. Je me suis réveillé tout en sueur. J'ai regardé l'heure sur le réveille-matin de Philippe. Il était une heure et demie. Je n'ai pas dormi de la nuit. Quand Philippe s'est levé, à sept heures, pour aller à l'épicerie, je ne dormais pas encore. Je me suis levé pour aller à l'école et c'est là que j'ai vu les policiers à l'épicerie Dolbec. Si Philippe était sorti, cette nuit-là, je m'en serais aperçu. »

Avocat de la Couronne : C'est bien beau, tout ça ! Mais pourquoi ne pas avoir raconté votre rêve aux policiers quand ils sont allés vous interroger ?

Depuis le début de mon témoignage, le juré bijoutier ne cesse de me regarder. Il m'énerve. Voilà que le juge s'en mêle à son tour. Il me fixe à travers ses grosses lunettes.

LE JUGE : Tu as juré de dire toute la vérité, rien que la vérité. Sois prudent. Ne te laisse pas écarter de ton devoir de justice par des affections de circonstance. Maintenant, réponds à la question de l'avocat.

C'est la première fois que quelqu'un me dit « tu » depuis le début de mon témoignage. Je trouve ça sympathique. Mais je n'ai pas très bien compris la dernière partie de la remarque du juge. Tant pis ! Je vais avouer ce que je n'ai jamais osé dire. « Sur le coup, je n'ai pas voulu raconter mon rêve aux policiers. Parce que j'avais peur. On ne sait jamais. En pleine guerre, rêver aux Allemands est peut-être défendu. »

AVOCAT DE LA COURONNE : Avez-vous raconté ce rêve à quelqu'un d'autre ?

Ouf ! Je commence à avoir hâte que ça finisse. « Au début, j'ai essayé de le raconter, mais personne ne voulait m'écouter. Plus tard, j'ai raconté mon rêve à monsieur Uzéreau qui possède un restaurant en bas de chez nous. Lui, il m'a cru tout de suite. »

L'avocat qui veut faire condamner Philippe me tourne le dos et retourne à sa place. Me voila seul dans la boîte à témoin. S'il n'y a personne pour me poser d'autres questions, je vais m'en aller. Au même moment, le vieux monsieur en robe noire qui m'a conduit ici tout à l'heure m'accompagne vers la sortie du tribunal. Il m'abandonne dans la grande salle d'attente. Heureusement, le cousin Victor me rejoint.

– Bravo, Pierre-Paul ! Ton témoignage paraissait vraisemblable et bien senti, dit Victor. Maintenant, tu peux rentrer à la maison. Inutile de rester pour la suite du procès. Il ne reste que les plaidoiries des avocats et les charges du juge au jury. Tu n'apprendras rien de plus que tu ne sais déjà.

Puisque c'est comme ça, je me sauve. J'en ai assez entendu.

32

Le jury réfléchit depuis trois jours. Ça commence à être énervant. Nous avons tous hâte de savoir si Philippe est coupable ou non. Heureusement, mon père et moi sommes pas seuls à nous morfondre à la maison en attendant. Pépé Léon et le cousin Victor ont décidé de rester jusqu'à la fin. L'oncle juge est retourné à Trois-Rivières après mon témoignage. Il ne pouvait pas rester à cause de son travail. C'est vrai qu'un juge, ça doit être très occupé. J'aime autant qu'il soit parti. Il n'est pas rigolo. Il fait très sévère avec sa petite veste, boutonnée comme une soutane de frère, qu'il porte sous son veston. Il trône au milieu de tout le monde et parle avec ses mains. Il ne s'adresse jamais à moi. Je pense qu'il ne me trouve pas intéressant. En fait, je ne sais jamais quoi lui dire. J'aime beaucoup mieux le cousin Victor. Avec lui, au moins, je peux discuter. Il s'intéresse à ce que je fais et il m'apprend des tas de choses. Par exemple, c'est lui qui m'a expliqué le déroulement d'un procès. Il sait de quoi il parle. Il étudie pour être avocat (peut-être même qu'il étudie pour être juge comme son père). En tout cas, il prend des notes, lit les comptes rendus dans les journaux et discute souvent avec Maître Panneton. Pendant ce temps, pépé Léon mange du boudin, boit du gros gin et fume des cigares. Quand il a bu beaucoup, il est drôle. Il raconte des histoires et se moque de mon père qui est toujours triste et abattu.

Ce matin, comme tous les matins depuis trois jours, nous allons rencontrer Maître Panneton au Palais de justice. Mon père et pépé Léon auraient préféré que je reste à la maison, mais Victor a insisté pour que je les accompagne. Moi aussi, ça m'intéresse de savoir ce qui va arriver à Philippe. Nous nous réunissons dans une petite salle et attendons que le jury se présente devant le juge et annonce le verdict. Je ne sais pas si j'ai hâte que le jury se prononce. Je demande discrètement à Victor s'il croit que Philippe peut être condamné à être pendu, s'il est trouvé coupable. Victor m'entraîne en dehors de la salle.

– Ne te tourmente pas avec ça, dit-il. C'est une hypothèse, mais elle est loin d'être la seule. Il peut se passer beaucoup de choses. Attendons le verdict. Nous pourrons en discuter plus tard.

Ce midi, comme tous les midis depuis trois jours, nous marchons jusqu'à l'American Spaghetti House, rue Sainte-Catherine. J'aime bien le spaghetti, mais je préfère encore celui du restaurant Géracimo où j'ai l'habitude d'aller avec Dora. Ici, les pâtes sont trop grosses et trop molles. Évidemment, je ne fais pas de remarques sur la nourriture, surtout que pépé Léon paie chaque fois. Victor semble aimer son spaghetti malgré tout. On dirait que c'est la première fois qu'il en mange. Je n'ose pas lui demander s'il existe des restaurants qui vendent du spaghetti à Trois-Rivières.

À deux heures et demie, nous revenons au Palais de justice. Il y a beaucoup d'activité dans « la salle des pas perdus » (c'est comme ça que Victor appelle la grande salle). Tout le monde semble bien énervé. Des photographes, avec leur gros Kodak, se préparent à prendre des photos que nous verrons, demain, dans les journaux.

J'aimerais qu'ils prennent ma photo... juste pour écœurer le père Uzéreau. Il se vante toujours d'être ami avec un journaliste.

Maître Panneton se précipite dans la salle d'audience principale. Victor me regarde, l'air de dire qu'il va bientôt se passer quelque chose. Je suis de plus en plus nerveux. Je voudrais me voir à cent milles d'ici. L'avocat de Philippe revient et nous annonce que le jury est prêt à rendre son verdict. Il attend le juge. Nous suivons Maître Panneton dans la salle d'audience.

Le juge fait son entrée par une petite porte de côté. Tout le monde se lève. J'observe longuement Philippe dans le banc des accusés. Il est toujours déguisé en prisonnier, chemise grise et cheveux courts. Il n'a pas engraissé depuis la dernière fois. Je me demande s'ils le nourrissent bien. À côté de moi, Victor pose une main sur mon épaule; plus loin, mon père se tortille sur sa chaise.

Le juge demande au jury s'il est prêt à rendre son verdict. Sur la première rangée, au banc du jury, le bijoutier Jolivet se lève. Il va parler au nom de tous les jurés.

– Non coupable, dit-il, puis il se rassoit.

On entend des oh! et des ah! dans la salle. Victor me prend par le cou. Je lève les yeux vers Philippe. Il a la tête entre les mains. Le juge vient mettre un point final à toute cette affaire.

LE JUGE: Accusé, levez-vous.

Philippe se lève et pose ses deux mains sur la rampe devant lui. Je tremble encore, du ventre jusqu'aux jambes. S'il fallait que le juge condamne Philippe à la prison même s'il n'est pas coupable...

LE JUGE: En vertu du verdict qui vient d'être rendu, vous êtes libre.

Enfin, mon frère est sauvé! Maître Panneton s'avance vers le banc des accusés et tend la main à Philippe. Nous

nous retrouvons tous dans la salle des pas perdus. Chacun exprime sa joie à sa façon. Moi, je ne veux pas partir avant d'avoir vu Philippe. Victor me dit qu'il faudra attendre à l'extérieur du Palais de justice, le temps que Philippe retourne au centre de détention chercher ses effets personnels.

En début de soirée, nous sommes tous réunis au restaurant Chez son Père. Je m'assois à côté de Philippe. Pépé Léon a commandé une grosse bouteille de vin rouge. Maître Panneton prend la parole.

– C'est un grand jour, dit-il. Je bois à l'acquittement de Philippe et à la justice de mon pays. Nous avons vécu une expérience à la fois pénible et réconfortante. Les mésaventures ont un passé, seule la bonne fortune a un avenir. Réjouissons-nous.

J'ai comme l'impression qu'il va falloir un peu de temps à Philippe pour se réjouir de ce qui lui arrive. Il est encore sous le choc. J'aimerais bien parler avec mon frère, mais je ne sais pas quoi dire. Victor discute avec Maître Panneton, et mon père échange quelques mots avec pépé Léon. Philippe et moi essayons d'avaler notre steak en silence. Je m'attendais à des retrouvailles plus réjouissantes. Enfin, le temps passe et le vin réchauffe l'atmosphère. Pépé Léon raconte quelques histoires salées, et tout le monde trouve ça drôle, même Philippe grimace un sourire. Moi, je fais semblant de trouver ça comique, vu que je ne comprends pas toujours les histoires que pépé raconte. La soirée se termine tout de même dans la bonne humeur.

Ce soir, même s'il est tard, j'ai juste envie de courir rue Ontario et d'annoncer à Dora l'acquittement de Philippe. C'est pas commode. Je ne peux pas abandonner mon frère. Mon père aussi doit être tout à l'envers. Ces deux-là ne se sont pas parlé depuis longtemps. La conversation devrait être difficile à démarrer. Tiens, pépé

Léon a décidé de nous accompagner à la maison. Bonne idée ! Tout seul, je me sentais coincé, entre mon père qui ne dit jamais rien et Philippe qui ne doit pas avoir le goût de parler. Avec un peu de gros gin, le grand-père va sûrement trouver les mots qui manquent.

Comme d'habitude, je ne suis pas invité à la discussion. Les adultes parlent toujours de choses qui ne me concernent pas. Si Victor était venu, il ne m'aurait pas laissé tomber. En attendant, je ferais mieux d'aller me coucher et d'imaginer ce que sera ma vie avec Philippe de retour à la maison. Je sens qu'il va y avoir de longs silences, des repas sur le pouce à la queue leu leu, des soirées au son de la radio et des tas de linge sale à laver. Il y a toujours l'école. Ça, au moins, ça me regarde. Le reste, c'est chacun pour soi.

Je dors seul depuis des mois. L'arrivée de Philippe fera changement. Mon espace, au lit, sera réduit. Je me ferai plus petit, c'est tout ! Ça commence ce soir. Mon frère vient d'entrer dans la chambre. Il enlève ses chaussures et il se couche tout habillé. Sans doute une habitude qui lui vient de la prison.

– En tout cas, dit Philippe, je veux te remercier pour ton témoignage. Sans toi, j'étais fait. Tu as montré beaucoup de sang-froid. Jusqu'ici, tu étais mon petit frère, maintenant tu es mon sauveur. Je n'oublierai jamais ce que tu as fait pour moi.

Il ne sait pas ce que Dora et sa gang du 312 ont fait pour lui. Je ne peux pas lui dire. J'ai promis à Dora que je n'en parlerai jamais à personne, même pas à mon frère. C'est pas facile de garder un secret comme ça. C'est la même chose pour mon témoignage. Je ne veux plus en parler. Ça mijote tout le temps dans ma tête. Je ne sais pas comment faire pour perdre la mémoire. J'attendrai que le temps fasse le ménage. Pour le moment, je m'inquiète pour l'avenir de Philippe. Je lui demande ce qu'il compte faire.

– Pépé Léon a déjà tout prévu, me dit-il. Je pars dès demain pour Mont-Laurier. Je vais travailler avec lui à la scierie. Dans quelques mois ou quelques années, je reviendrai à Montréal et je me ferai une nouvelle vie. Pour l'instant, je dois me cacher. Je vais bientôt avoir dix-huit ans, et la conscription pour la guerre est annoncée. Une autre bonne raison pour que je déguerpisse au plus sacrant. Je n'ai pas du tout envie d'aller à la guerre. Ne raconte à personne où je suis. Tu viendras me voir à Mont-Laurier.

Un autre secret à garder. Si ça continue, je n'aurai plus rien à dire. Si je comprends bien, je vais rester seul avec mon père. Au moins, lui ne pose jamais de questions. Tant que la guerre durera, il continuera à construire des chars d'assaut. Ça devrait faire son bonheur. Une seule chose me tracasse un peu: est-ce que Philippe va emporter sa bicyclette à Mont-Laurier?

– Ne t'inquiète pas, dit mon frère, la bicyclette est à toi. Tu peux la garder. J'en aurai plus besoin. Dis-moi, P.-P., avant de t'endormir, est-ce que maman a souffert avant de mourir? Quand j'étais «là-bas», j'ai souvent pensé à elle. J'ai beaucoup pleuré quand j'ai appris sa mort.

Je revis avec mon frère les derniers jours que ma mère a traversés avant de mourir: visites du médecin, transport à l'hôpital, l'attente qui n'en finit plus et le chagrin de mon père. J'ajoute quelques détails croustillants au sujet de la cérémonie à l'église et la prise de bec de pépé Léon avec le curé. Pour le reste, je coupe court. J'ai comme l'impression que je suis encore en train de témoigner devant un tribunal. Moi qui fais des efforts pour étouffer ma mémoire, c'est pas le genre de récit qui m'amuse.

Le lendemain matin, pépé Léon arrive de bonne heure. Il vient chercher Philippe. Mon frère est prêt. Il a mis quelques vêtements dans la grosse valise brune en carton épais. Depuis que Philippe a déménagé chez la mère Dolbec ses boîtes de linge qui traînaient sous le lit, il ne lui reste pas grand-chose pour s'habiller. Tout a disparu pendant qu'il était en prison. Aujourd'hui, c'est son premier jour de liberté. Je sens qu'il a hâte de partir. Mon père est déjà aux Shops Angus avec ses chars d'assaut. Je suis seul à souhaiter bonne chance à mon frère. Il ne me répond pas. Pépé Léon a l'air pressé. Ils se sauvent tous les deux en taxi. Les voisins du quartier, y compris le père Uzéreau, sont privés de commérages. Tout s'est déroulé à la troisième vitesse. Ni vu ni connu !

33

Je sors MA bicyclette du hangar. Elle est à moi pour de bon ! Je passe devant l'épicerie chez Dolbec et vois un écriteau dans la vitrine : « À vendre ». C'est mieux comme ça. Je ne verrai plus la « vieille chouette de malheur » se promener dans le quartier. Je ne me suis pas arrêté chez Uzéreau. Depuis le début, il croit que Philippe a assassiné le père Dolbec. Maintenant que mon frère est acquitté, Uzéreau va chercher à savoir qui est le meurtrier. C'est son problème. Je ne veux rien savoir de ses cancans.

Je pédale jusqu'au 306 Ontario. Madame Landreville est seule. Elle est assise dans la cuisine, les deux jambes plongées dans une cuvette remplie d'eau chaude. Je lui raconte que Philippe a été acquitté et qu'il est sorti de prison. Pour cette raison, il est urgent que je voie Dora. Je parle dans le vide. Madame Landreville semble avoir d'autres soucis. Je sais que ses jambes la font souffrir, mais c'est plus grave que ça. Elle pleure doucement et s'essuie les yeux avec le torchon à vaisselle. Je ne trouve rien d'autre à dire. Je fais mieux de m'en aller. Au moment de partir, madame Landreville tourne la tête vers moi et me dit entre deux sanglots :

– Si tu cherches Dora, elle est à l'Hôtel-Dieu avec Yvon et Gabrielle. Chambre 201. Je ne peux pas y aller à cause de mes jambes, dit-elle, puis elle se remet à pleurer en se couvrant la figure avec le torchon à vaisselle.

J'aimerais en savoir plus. C'est peine perdue. Elle pleure tout le temps. Je ne vais pas rester là et attendre qu'elle ait fini de chialer. Je me sauve au plus sacrant. Si je me souviens bien, l'Hôtel-Dieu, c'est l'hôpital où je suis allé visiter le juré Jolivet avec Dora. J'ai une bonne idée de l'endroit. Je n'ai jamais pédalé aussi vite. J'ai grimpé la côte de la rue Sherbrooke, debout sur les pédales.

Dans le couloir, en face de la chambre 201, j'aperçois Dora qui discute avec Yvon. Je viens de comprendre que c'est Gabrielle qui est hospitalisée. J'espère que je n'arrive pas trop tard. J'ai une grosse boule dans l'estomac, juste en haut du nombril. En me voyant, Dora se lance vers moi et me prend dans ses bras. Elle pleure elle aussi. Ce qui fait monter ma boule jusque dans la gorge. Une boule qui se promène comme ça me fait toujours pleurer. Je verse quelques larmes. Yvon me rejoint. Il a les yeux rougis. Je demande si je peux aller voir Gabrielle.

– Pas pour le moment, dit Dora. Le médecin est avec elle. Tout va bien aller. Il ne faut pas trop s'inquiéter. C'est sûr que c'est grave, mais ce n'est pas mortel. Elle va s'en sortir. Elle a perdu la vue. Elle est complètement aveugle. Les médecins cherchent à comprendre ce qui s'est passé. Il faut espérer que c'est temporaire.

C'est tout un choc. Gabrielle, aveugle ! Elle avait pourtant de si beaux yeux. Vivre comme ça, toujours dans le noir, on doit avoir peur de tout le monde. On ne sait jamais où on est, ni qui est autour. Moi, j'aurais peur qu'on me mette dans une boîte et qu'on m'enterre, sans me le dire. Comme tu ne vois rien, tu ne peux pas savoir. C'est effrayant !

Enfin, le médecin sort de la chambre. Il parle avec Dora. J'espère que je pourrai voir Gabrielle. Yvon, lui, ne perd pas une minute et entre dans la chambre. On sait bien, c'est son frère! Il a tous les droits. Je ne suis qu'un camarade éloigné qui possède une bicyclette. Le médecin s'en va, et Dora me rejoint. Je vais essayer d'en savoir plus sur l'état de Gabrielle. J'apprends qu'elle souffre de « rétinite ou trétinite » ou je ne sais pas quoi qui finit en « ite ». Dora m'explique qu'il est impossible de savoir si elle retrouvera la vue. C'est trop tôt. Il faut attendre.

Yvon sort de la chambre. Il doit partir tout de suite. Il a une répétition pour une pièce de théâtre tirée du radio-roman *Madeleine et Pierre*. Je suis bien content. Je vais rester seul avec Dora et Gabrielle. Bien sûr, je ne parlerai pas à Dora de l'acquittement de Philippe. Ce n'est pas le moment. La maladie de Gabrielle a pris toute la place dans mes pensées.

Toutes les chambres d'hôpital se ressemblent. C'est plein de fils, de poteaux roulants, de draperies sur rail, et ça sent l'alcool à friction. Heureusement, Gabrielle ne voit rien de tout ça, mais l'odeur doit l'écœurer autant que moi. Dora se penche et embrasse Gabrielle sur le front. J'aimerais bien en faire autant, mais le lit est trop haut. Il faudrait que je monte sur un marchepied.

– Tout va bien, ma petite Gabrielle, dit Dora. J'ai parlé au médecin. Tu devrais sortir de l'hôpital dans un jour ou deux. Nous allons bien nous occuper de toi. Ne crains rien. Tu sais qui est avec moi? C'est p'tit frère! Tu sais bien, Pierre-Paul, le copain d'Yvon. Je pense qu'il est amoureux de toi.

Franchement! C'était pas nécessaire de dire des choses comme ça. J'ai l'air de quoi? Si Gabrielle ne veut pas d'amoureux, je ne ferai pas de vieux os ici.

– Moi, il faut que je te laisse, Gabrielle, ajoute Dora. Je reviendrai te voir ce soir. En attendant, repose-toi.

Une fois Dora sortie de la chambre, j'avance doucement près du lit. Gabrielle a, sur les yeux, un gros paquet d'ouate et un bandeau qui lui fait le tour de la tête. Ses beaux cheveux frisés sont écrasés sur l'oreiller. Son petit nez pointu et ses lèvres pincées sont tout ce qui reste de son visage. Pour moi, elle est belle quand même. Je me souviens de la première fois que je l'ai vue: ses beaux yeux et ses cheveux frisés m'avaient coupé le souffle. Et chaque fois que je la revois, je manque d'haleine.

Je ne sais pas si elle se rend compte que je suis encore là. Elle dort peut-être. J'aimerais lui dire quelque chose, mais quoi? «Bonjour Gabrielle»? «Je t'aime, Gabrielle»? C'est trop niaiseux. Même si Dora a lancé que j'étais amoureux, c'est sûrement pas le moment de faire des déclarations d'amour. De toute façon, j'en serais incapable. Tiens, Gabrielle vient de lever un bras pour se gratter le menton avec sa main, puis elle le repose le long de son corps, par-dessus le drap blanc. Si je suis assez courageux pour passer à l'action, c'est ma chance. Je pose ma main gauche sur son bras et je caresse ses doigts avec mon autre main. Elle tourne la tête vers moi. Elle ne me voit pas, c'est sûr, mais elle sent ma présence. Elle étend l'autre bras et vient poser sa main sur la mienne. Sa chaleur me traverse, comme, une fois, quand j'ai pris un choc en changeant une ampoule. Je suis complètement électrocuté.

– C'est toi, Pierre-Paul? Je suis bien contente que tu sois venu me voir. Comment vas-tu?

Ce n'est pas le temps de lui dire que je vais bien quand elle est étendue dans un lit d'hôpital. Je cherche d'autres mots. C'est pas facile. Je profite qu'elle ne me voit pas pour poser mes lèvres sur sa main. Une belle main blanche, toute petite. Pourtant, il faut que je dise quelque chose. Je lui confie que je suis bien triste de ce qui lui arrive et que je suis bien content, moi aussi, d'être là. J'ajoute, enfin, qu'elle va bientôt guérir (dans le fond, je n'en sais rien, mais j'essaie de l'encourager).

– Tu viendras me voir, dit-elle, quand je sortirai de l'hôpital?

Tu parles! Je lui promets qu'elle peut compter sur moi en tout temps. Je ne veux pas m'avancer trop, pour le moment. J'espère seulement qu'elle ne changera pas d'idée. Mes relations avec elle n'ont pas toujours été faciles. C'est possible que les choses changent. Si elle ne me voit pas, elle pourra plus facilement apprécier ma présence. Je ne sais pas. Peut-être que ma face, mon allure lui déplaisaient. À l'avenir, pour elle, je suis seulement Pierre-Paul, un ami qu'elle peut imaginer comme elle l'entend: beau, grand, élégant. Il me suffira d'être gentil. Tout le reste n'a plus d'importance.

Ce premier contact est fantastique. C'est merveilleux! Je ne veux pas avoir l'air de profiter trop de la situation. Je lui suggère de se reposer. J'irai la voir quand elle sera de retour à la maison.

– Je compte sur toi, dit-elle. N'oublie pas ta promesse.

Non seulement je n'oublie pas ma promesse, mais j'ai plein de projets. Des projets qui flashent dans ma tête comme si c'était une machine à boules. Je saute sur ma bicyclette et je roule à toute vitesse, entre les autos. Si je n'arrive pas à me calmer, je vais me retrouver à l'hôpital à mon tour. Je passe et repasse rue Ontario dans l'espoir de rencontrer Dora. Au 312, les clients font la queue dans l'escalier. Elle doit être très occupée. Pas question d'arrêter au 306, madame Landreville doit pleurer encore dans son torchon à vaisselle. Je suis trop de bonne humeur pour endurer ça. Je rentre à la maison.

Je suis seul. J'aime mieux ça. Je vais pouvoir emmitoufler Gabrielle dans mes pensées. Je ne souhaite pas qu'elle reste aveugle toute sa vie. Mais pour le moment… (disons que j'oublie ça). C'est pas gentil. Si elle retrouve bientôt la vue, je vivrai avec cette situation. Il faut que je sois raisonnable. Après tout, elle a le droit d'aimer qui elle veut. Quand elle ouvrira les yeux (tôt ou tard), elle me verra peut-être autrement. Sinon…, ce sera comme avant.

En attendant, je vais essayer de mieux comprendre ce qui arrive à Gabrielle. Je me bande les yeux avec la cravate noire de mon père. Elle est toute neuve. Il l'a portée une seule fois aux funérailles de ma mère. Maintenant, je ne vois plus rien. Les deux bras allongés devant moi, je me dirige vers la glacière. Je réussis enfin à ouvrir la porte du bas. À tâtons, je mets la main sur la pinte de lait et le pain, puis je saisis une tomate au passage. Je transporte mon attirail sur la table de cuisine. Ce n'est pas fini. Je fais le tour de la cuisine à la recherche d'un couteau. Je suis complètement écarté. Il faut que je retourne à la table. Je trébuche sur une chaise qui n'avait pas d'affaire là. J'échappe le couteau. Je me penche pour le ramasser. En me relevant, j'accroche la pinte de lait qui se brise sur le plancher. La tomate a roulé en bas de la table. C'est l'enfer ! J'arrache la cravate.

J'ai compris. Je souhaite que Gabrielle retrouve la vue au plus sacrant.

34

Depuis que Gabrielle est sortie de l'hôpital, il y a un mois, je passe la voir tous les jours, après l'école, ainsi que tous les samedis et les dimanches. Autant dire que je suis un habitué du 306 Ontario. Madame Landreville est contente de m'accueillir (du moins, je le pense), et Yvon en profite pour se balader dans le quartier avec ma bicyclette. Dora vient faire son tour de temps en temps et ne fait jamais allusion au procès de Philippe. Je ne sais pas si je dois lui en parler. J'attendrai l'occasion. Mon père trouve que je passe beaucoup de temps à l'extérieur de la maison. Je lui explique que je m'occupe d'un ami malade. (Je n'ai pas dit UNE amie. Je ne voulais pas qu'il me fasse une scène comme celle qu'il a faite à Philippe au sujet de ses relations avec madame Dolbec.) Je couche à la maison tous les soirs, je fais mes devoirs, je m'occupe du lavage, du ménage et des commissions ; bref, je m'organise pour libérer mon père et ne pas retarder la construction des chars d'assaut.

Les heures que je passe avec Gabrielle sont un véritable enchantement. Je lui prends la main, et nous faisons de longues promenades dans le quartier. Nous arrêtons au restaurant pour grignoter un petit quelque chose (avec l'argent que me donne Dora afin que

Gabrielle ne manque de rien). Quand nous restons à la maison, je lui fais la lecture, nous écoutons la radio, je mets des disques sur le gramophone et nous dansons dans le salon. C'est une dure épreuve pour moi. Je ne sais pas danser. Je fais semblant. Elle s'est quand même aperçue que j'étais maladroit. Elle a décidé de me donner des leçons de *jitterbug*. Je la prends par la taille ou je la serre contre moi. Je commence à aimer la danse où il y a des corps à corps.

Gabrielle préfère la danse à claquettes. Avant sa maladie, elle suivait des cours au Tap Dance Studio, rue Saint-Hubert. Elle voulait devenir une danseuse professionnelle. Dora l'a beaucoup encouragée, car elle-même rêve d'en devenir une. Si je comprends bien, Dora n'est pas intéressée par les claquettes. Elle parle toujours du Théâtre Gayety, dans la rue Sainte-Catherine. C'est là qu'elle aimerait danser. L'autre jour, j'ai vu des affiches à la porte du théâtre. Les filles sont toutes en costume de bain. Il doit bien y avoir une piscine dans la salle. En tout cas, ça ressemble plus à de la nage de fantaisie qu'à de la danse.

Depuis quelques jours, Gabrielle me parle souvent de son studio de danse. Elle regrette d'avoir abandonné ses cours. Je lui répète qu'elle devrait continuer à suivre des leçons. Nos yeux ne servent à rien lorsque nos pieds savent quoi faire. Par exemple, moi, quand je danse le *jitterbug*, je ferme les yeux et je me sens très à l'aise. Ça doit être la même chose pour la danse à claquettes.

– Les autres élèves doivent avoir pris une bonne avance sur moi depuis que j'ai cessé d'aller au cours, dit Gabrielle. En plus, je n'ai pas pratiqué depuis des semaines.

Ce n'est pas un problème. Je lui offre de l'aider à s'exercer. Je vais la tenir par la main, et elle se fera aller les pieds, comme si de rien n'était. Elle est hésitante, au début, puis elle me fait confiance. Sa chambre est la seule pièce de la maison où il n'y a pas de prélart. Le vieux plancher de bois fera l'affaire. Nous nous installons dans sa chambre. Je pousse le lit et la commode dans un coin. Je me place à bout de bras et je la tiens doucement par la main. Avec le temps, je me recule tranquillement, lui tiens le bout des doigts, puis je la lâche complètement. Elle retrouve son rythme. La voilà partie. C'est beau à voir. Elle frappe avec ses talons et le bout de ses pieds. Une vraie danseuse !

– Ne t'éloigne pas, dit Gabrielle. J'ai peur de tomber.

Pas de danger ! Je suis derrière elle. Au bout de dix minutes, elle me tombe dans les bras. Elle est exténuée, mais satisfaite de son exercice.

Le lendemain, nous partons tous les deux au studio de la rue Saint-Hubert. La salle de cours est remplie. Le professeur nous accueille. Tous les élèves se pressent autour de Gabrielle. Je sens qu'elle est heureuse de retrouver ses copines de cours. Son professeur lui donne une leçon particulière. Je me tiens loin, c'est normal. Je ne suis pas celui qui peut enseigner la danse à claquettes. À la surprise de tous, en un tour de pied, elle s'arrête de danser. Elle reste un instant immobile au milieu de la salle de cours, puis elle se retourne en criant :

– Pierre-Paul, où es-tu ?

Je réponds : « Je suis là » et je cours vers Gabrielle. Elle se serre contre moi. Je suis vraiment comblé. Devant tout le monde, elle a fait de moi son Grand Protecteur. Je n'en demandais pas tant. Après une pause de quelques minutes, la leçon reprend. Le professeur me demande de rester près de Gabrielle pour la rassurer.

Le cours de danse a beaucoup fatigué Gabrielle. Une fois à la maison, elle choisit d'aller se reposer. Je reste seul avec madame Landreville qui soigne ses jambes dans une cuvette d'eau chaude remplie de camphre. Ça sent fort ! Je décide de rentrer chez moi. Pas de chance ! Yvon est parti avec ma bicyclette. Je m'assois sur le perron du 306 Ontario et j'attends le retour d'Yvon. Je ne sais pas ce qui se passe au-dessus. On dirait que toute l'armée canadienne est en ville. Plein de soldats montent et descendent du 312. Je reconnais soudain Dora, dans sa robe bleue à pois, qui descend l'escalier à travers la foule des kakis. Un soldat lance une platitude à Dora qui lui répond du tac au tac; un autre lui pogne les fesses, mais il reçoit un coup de sacoche qui lui fait voler son képi en bas de l'escalier. Ce genre de traitement me rappelle un souvenir: le jour où Dora a pris ma défense à coup de sacoche contre Philippe qui me frappait alors que j'étais par terre. C'est ce jour-là que j'ai commencé à la considérer comme ma grande sœur.

Pauvre Dora! Elle semble éreintée. La journée a dû être dure. Elle devrait aller construire des chars d'assaut aux Shops Angus, c'est peut-être moins éreintant. Tout à coup, elle m'aperçoit:

– Tiens, p'tit frère! Tu es encore là. Je vois que Gabrielle te tient occupé. Au fait, comment va-t-elle?

Je réponds qu'elle va bien. Tout le monde trouve que je m'occupe trop de Gabrielle. D'abord, je ne m'en occupe pas, je l'accompagne. C'est pas la même chose. Ensuite, Si Gabrielle trouve que je l'accapare trop, elle me le fera savoir. C'est une affaire entre elle et moi. Personne ne peut comprendre la connivence qui existe entre nous. Je suis ses yeux et son ange gardien, elle est tout ce qui me rend heureux (des tas de choses que je ne peux pas expliquer). Dora est ma grande sœur préférée, Gabrielle est l'amie que je préfère. Sans elles, je suis un petit baveux de onze ans sans intérêt.

– Ne restons pas ici, dit Dora. Ça sent le cul! Toute l'armée canadienne nous envahit. Tous ces soldats feraient mieux d'aller tuer des Allemands plutôt que de nous faire chier.

Nous nous éloignons du 312 et marchons dans la rue Ontario. Je ne veux pas m'absenter trop longtemps. J'attends Yvon avec ma bicyclette. Nous nous arrêtons à une terrasse. Dora m'offre un *floater*, une crème glacée flottant dans un grand verre de *cream soda*. Je lui rappelle, enfin, que Philippe a été acquitté. C'est grâce à elle. Je cherche mes mots pour la remercier. Elle m'interrompt :

– Je l'ai fait pour toi, p'tit frère ! Je ne connais pas ton frère. Je suis quand même bien contente pour lui.

Comment ? Elle ne connaît pas mon frère ? Je lui dis qu'elle a bien dû reconnaître Philippe au tribunal. Il est allé au 312 des dizaines de fois. Mon frère n'est pas le gars à passer inaperçu, surtout quand il est accompagné de sa gang.

– Je vois beaucoup de monde au 312, dit Dora. Je ne peux pas me rappeler toutes les faces que je vois. Oublie ça, p'tit frère ! Finis ton *floater*. Il faut qu'on décrisse d'ici au plus maudit. Il y a trop de soldats dans les parages.

Ça tombe juste ! Yvon vient d'arriver avec ma bicyclette. Je profite que Gabrielle se repose et je rentre à la maison. Dans la cuisine, mon père prépare le souper. Je ne sais pas trop ce que nous allons manger. Il est en congé pour quelques jours : ralentissement dans la construction de chars d'assaut. Je lui demande s'il croit que la guerre va bientôt finir. Il n'en sait rien. Il n'a pas le temps de lire les journaux. À l'école, le frère Albert est bien au courant de ce qui se passe. Il dit que la France est passée du côté des Allemands et que l'Allemagne va gagner la guerre. Cela n'a pas l'air de l'inquiéter. Il dit que ce serait une bonne chose. Ça nous débarrasserait des Juifs. Je demande à mon père si les Juifs nous dérangent vraiment.

– Ceux que je connais, dit mon père, sont du bien bon monde. Les autres, ceux qui vivent en Europe, je ne sais pas…, mais ça doit être du bon monde aussi. Tu diras à ton frère Albert que s'il espère toujours que les Allemands gagnent la guerre, il ferait mieux de commencer à apprendre la langue allemande.

Ça veut dire que, moi aussi, je serai obligé d'apprendre l'allemand. Ça fait pas mon affaire. Je dis à mon père :

– Retourne aux Shops Angus au plus vite et continue de construire des chars d'assaut. J'ai pas envie de parler l'allemand.

35

Nous sommes arrivés à Mont-Laurier hier soir, pour passer les fêtes de Noël et du jour de l'An chez pépé Léon. Mon père ne regrette pas les Shops Angus. Moi, j'ai du mal à oublier Gabrielle. Ne pas pouvoir la voir pendant une dizaine de jours me met le cœur à l'envers. Je veux téléphoner chez les Landreville et parler à Gabrielle. Le téléphone à Mont-Laurier n'est pas comme celui de Montréal. C'est une grosse boîte en bois avec une manivelle, sans cadran avec des numéros. Je ne sais pas comment ça fonctionne. Je voudrais demander l'aide de pépé, mais mon père ne veut pas. Il dit que les «longues distances» coûtent trop cher. On ne doit utiliser le téléphone que dans les cas d'urgence, dit-il. J'ai essayé de lui expliquer que c'était urgent que je téléphone à mon ami (mon amie!). Il n'a rien voulu savoir. Les fêtes commencent déjà à m'ennuyer.

Malgré tout, je suis heureux de revoir Philippe. Il a engraissé. Ses cheveux ont repoussé depuis sa sortie de prison. Nous couchons dans une sorte de dortoir, dans le grenier. Pour une fois, nous avons chacun notre lit. Le jour, nous parlons peu. Le soir, avant de nous endormir, nous échangeons des nouvelles. Je lui parle de Montréal: la mère Dolbec a disparu, et l'épicerie a été vendue à la famille Boulerice, Poil-Blanc a pris de ses nouvelles et le restaurant Uzéreau est fermé pour un bon bout de temps. C'est le fils Lupien qui m'a raconté ce qui est arrivé. Le vieux Michel a eu des problèmes avec la police. Sa « sœur » n'était pas vraiment sa sœur. Elle était trop jeune, et il n'avait pas le droit de coucher avec elle. De son côté, Philippe me parle de son travail à la scierie. Il passe ses journées dans le bran de scie. Le soir, il fait le ménage dans le moulin. Il passe les week-ends avec Lucie, une fille du village qu'il a rencontrée à la tombola paroissiale. Il l'épousera quand il aura assez d'argent d'économisé. Pas question de s'installer à Montréal. Ils comptent fuir en Californie, ouvrir un moulin à scie et faire fortune. Si son projet se réalise, je ne verrai plus Philippe… à moins de partir pour la Californie, moi aussi. Le problème, c'est que je ne sais pas où se trouve la Californie.

Je ne suis pas habitué à la nourriture de Mont-Laurier. Le réveillon de Noël me reste sur l'estomac. Le ragoût de pattes de cochon, les tourtières, les cretons, les oignons rouges qui flottent dans le vinaigre et l'omelette au lard salé me donnent des coliques. Je suis obligé de prendre un verre d'huile de castor. Je passe mes journées sur le trône. J'ai hâte de retrouver mes sandwichs aux tomates et mes tartines de beurre de *peanuts*.

Le lendemain du premier de l'An, mon père et moi rentrons à Montréal en train. Le voyage est très long. Mes coliques n'ont pas complètement disparu. Les chiottes du train sont étroites, glacées, le papier cul est trop mince, et ça sent le diable. Nous arrivons à la gare Jean-Talon en fin d'après-midi. Je me sens déjà un peu mieux.

Je ne sais pas pourquoi le mois de janvier se fâche contre nous. Nous n'avons rien fait au ciel. Le froid et la neige nous tombent dessus comme une pénitence, depuis notre retour de Mont-Laurier. Mon père a retrouvé ses chars d'assaut, moi, mon cahier de devoirs, ma plume à l'encre et mon livre de catéchisme. Quand l'école est finie, je file au 306 Ontario, auprès de Gabrielle. J'ai comme l'impression que madame Landreville commence à trouver que je passe beaucoup de temps avec sa fille. Elle ne m'a pas encore mis à la porte, mais je sens que ça va venir. Malgré tout, je continue comme si de rien n'était. Gabrielle est contente de me voir. C'est ce qui compte.

Heureusement que Dora est là pour m'encourager. Quand elle vient faire son tour au 306, elle me donne de l'argent et me demande de m'occuper de Gabrielle. Madame Landreville a les deux jambes enveloppées dans des guenilles, et Yvon n'est jamais à la maison (il suit des cours de théâtre et il veut devenir un grand acteur). Gabrielle est toujours enfermée dans sa chambre. Elle ne peut pas sortir seule. Il faut bien que quelqu'un s'en occupe. Dora n'est pas souvent libre. Il reste moi. Je n'ai pas l'intention d'abandonner mon rôle de Grand Protecteur.

Une fois par semaine, le samedi, j'accompagne Gabrielle à sa leçon de danse à claquettes, au Tap Dance Studio. Elle a fait beaucoup de progrès. Son professeur songe à donner un spectacle avec les élèves du Studio. Il dit à Gabrielle qu'elle fera un numéro en solo. Elle est enchantée. Elle veut que je l'aide à faire ses exercices. Ça veut dire que je passerai beaucoup de temps au 306. Si madame Landreville n'est pas contente… on verra. Je demanderai à Dora d'intervenir. Elle est extraordinaire dans ce genre de rôle. Le frère Émile en sait quelque chose.

Depuis quelques jours, Gabrielle me dit qu'elle aimerait aller patiner au parc La Fontaine. Ça m'embête. Je patine comme un canard. Peu importe, je suis prêt à tout pour faire plaisir à Gabrielle. Première chose:

trouver des patins. Je me souviens que Philippe en gardait une vieille paire, accrochée dans le hangar. Des patins trop grands pour moi et couverts de poussière avec des taches de moisi. Pas de problème ! Je les frictionne à l'huile de pied de bœuf. La pointure est un détail. Il suffit d'enfiler trois paires de bas de laine et de mettre du papier journal dans le fond des bottines. J'ai bien hâte de voir si je pourrai me tenir debout sur mes patins.

Je choisis un jour où le soleil sort de sa cachette de janvier. Je rejoins Gabrielle, et nous partons, patins sur l'épaule, pour le parc. Première inquiétude : la glace est vive, et mes patins ne sont pas aiguisés. Deuxième inquiétude : les chalets pour se chausser et se réchauffer sont réservés pour les filles, d'un côté, et pour les gars, de l'autre. J'explique au gardien de la patinoire que je dois aller du côté des filles. Au bout d'un moment, il comprend. Il voit bien que mon amie porte des lunettes fumées et qu'elle s'appuie sur mon bras pour avancer. Il nous installe alors dans une petite pièce entre les deux chalets. J'aide Gabrielle à lacer ses beaux patins blancs. Enfin, nous voilà sur la patinoire. Gabrielle est très jolie dans son ensemble bleu pâle avec du minou blanc autour de sa jupe et aux poignets. Mes premières glissades sont désastreuses. Je tiens Gabrielle par la taille (au fond, je me tiens après elle pour ne pas tomber). Je patine sur les bottines. Heureusement qu'elle ne voit rien. Je peux faire semblant de savoir patiner. J'ai comme l'impression que je profite un peu trop de son infirmité.

Aujourd'hui, le 5 février, c'est l'anniversaire de naissance de Gabrielle. Dora s'est chargée d'organiser une fête au 306. Même si je sais que Gabrielle ne me voit pas, j'ai mis mon habit du dimanche et la chemise blanche que je portais aux funérailles de ma mère. Mes cheveux brillent dans la Bandoline, et mes souliers sont cirés à l'huile de pied de bœuf. Comme cadeau, j'ai cherché longtemps quelque chose qui ne se voit pas, mais qui se goûte ou qui se sent. J'ai choisi une bouteille d'eau de toilette (le pharmacien dit que ça sent aussi bon que du parfum) et une boîte de chocolats Laura Secord.

Je reste près de Gabrielle et je lui tiens la main. Je lui décris tout ce que je vois: les personnes présentes, la couleur des chandelles sur le gâteau et des ballons accrochés au lustre du plafond ainsi que les décorations de la salle à manger. Dora prononce un petit discours, mais elle est tellement émue qu'elle s'arrête au milieu pour se moucher. Moi, je suis trop heureux pour me mettre à chialer. Après le boniment de Dora, c'est le moment que j'attendais depuis longtemps: j'embrasse Gabrielle, sur les deux joues et sur la bouche. Un étrange frisson traverse tout mon corps. La fête se poursuit tout l'après-midi, puis Gabrielle se retire dans sa chambre pour se reposer.

Soudain, la fête est interrompue par des hurlements de sirène qui viennent de la rue. Madame Landreville s'énerve:

– Mon Dieu! C'est un black-out! Les Allemands sont au-dessus de la ville!

– Du calme..., du calme! Ce n'est pas un black-out, dit Dora. Il fait encore jour.

Tout le monde se garroche à la grande fenêtre du salon. La rue Ontario est remplie de paniers à salade et de voitures de police. Un commando de policiers, armé de matraques, grimpe l'escalier du 312.

– C'est une descente au 312, crie Dora qui enfile ses bottes et son manteau. Allons voir ce qui se passe.

Je n'ai pas le temps de mettre mes « pardessus » et je cours, en souliers, derrière Dora. Je n'aime pas ce qui se passe. Lors de la dernière descente au 312, Dora s'est ramassée en prison. Aujourd'hui, ils ne peuvent pas l'arrêter. Elle est en congé et elle organise une fête chez la voisine. Si jamais ils l'arrêtent, je suis prêt à témoigner en sa faveur. Depuis le procès de Philippe, je sais comment faire.

Dans la rue, en face du 306, est stationnée une grosse voiture noire. Sur la portière, c'est écrit: «*Canadian Army*». Dora a reconnu le passager de la banquette arrière. Elle s'approche de l'auto. Le visiteur baisse la vitre. Je le reconnais. C'est le général moustachu du parc La Fontaine.

– Mais c'est Gaston! Le général ne veut pas rater le spectacle, si je comprends bien, lance Dora. Ce n'est pas le genre de visite que tu avais l'habitude de faire au 312.

– Je ne suis pas venu voir le spectacle... c'est moi qui l'ai organisé, répond le général. C'est aujourd'hui la fin du 312 Ontario!

– De quoi te mêles-tu? Ce n'est pas l'affaire de l'armée. Retourne à tes canons et laisse-nous travailler en paix.

– Justement, c'est une affaire qui regarde l'armée, au premier chef, dit le moustachu. Vous, les filles du 312, vous êtes en train de contaminer tous les soldats de passage à Montréal. La syphilis et les maladies vénériennes paralysent toute notre action. Nous sommes obligés de retarder l'envoi de troupes en Europe. Vous oubliez que nous sommes en guerre.

– C'est une affaire qui regarde les policiers de la ville, rétorque Dora. Les policiers connaissent la maison et nous n'avons jamais de problèmes avec eux. Occupez-vous de vos ciboires d'affaires.

– Nous avons fait comprendre aux autorités de la ville qu'il était de leur intérêt de fermer ce bordel. Si les policiers ne font pas leur travail, l'armée va déclarer Montréal «ville fermée». Tout ça a assez duré.

– On fait rien de mal, dit Dora. On gagne notre vie comme on peut. Qu'est-ce qu'on va devenir?

– Allez faire des ménages, dit le général moustachu en remontant la vitre de la portière.

Dora donne un coup de poing dans la vitre et un coup de pied dans la portière. Elle est en beau maudit. Derrière nous, les filles du 312 descendent l'escalier et embarquent dans les paniers à salade, escortées par les policiers qui les poussent à coups de matraque.

Nous rentrons au 306. J'ai les pieds gelés. Dora pleure de rage. Je n'aime pas la voir pleurer. C'est une fête qui se termine mal. Je ferais mieux de retourner à la maison.

36

Le 312 Ontario est fermé pour de bon. Le cadenas est accroché à la porte, et personne n'a pelleté la neige dans l'escalier. Les gens du quartier disent que des fantômes rôdent encore dans l'appartement. Je ne crois pas aux vrais fantômes. La seule maison hantée que je connais, c'est celle du parc Belmont. Je l'ai visitée et je n'ai pas eu peur des fantômes en papier mâché qui se cachent derrière les portes.

La fermeture du 312 ne me dérange pas. J'y suis jamais allé. Mais le déménagement du 306 Ontario m'affecte beaucoup. La maison est vide. C'est un désastre ! Il y a un grand drap sale à la fenêtre du salon et deux morceaux de bois en croix sur la porte.

Heureusement, je peux toujours compter sur ma grande sœur, Dora. Depuis la fermeture du 312, elle est devenue danseuse au Théâtre Gayety. Quand mon père travaille de nuit, je saute dans un tramway et je vais me planter devant le théâtre. J'attends Dora. Vers deux heures du matin, quand elle sort du théâtre, elle se contente de m'engueuler comme du poisson pourri : « Fiche le camp chez vous. Tu n'es pas raisonnable. » Comme il n'y a plus de tramway à cette heure, elle me reconduit chez moi en taxi. Mais je ne suis pas très raisonnable. J'y retourne chaque fois que j'en ai la chance. Une nuit, nous sommes allés prendre un café au Northeastern, situé juste en face du théâtre (le café est ouvert 24 heures par jour). Enfin, elle a décidé de tout me raconter :

– On peut dire que t'as la tête dure, p'tit frère ! Comme le 312, le 306 Ontario n'existe plus. C'est fini ! Tout le monde est parti. Madame Landreville est à l'hôpital. Ils vont lui couper les deux jambes. Yvon demeure chez son nouveau professeur d'art dramatique, un vieux monsieur célibataire qui n'a pas de famille et qui va bien prendre soin de son élève. Surtout, ne me pose pas de questions au sujet d'Yvon. Il va bien s'en tirer. Le vieux est pris du cœur, et j'espère seulement qu'il couchera Yvon sur son testament. C'est ce qui peut arriver de mieux quand on n'a pas d'argent.

C'est bien triste pour madame Landreville. Yvon peut coucher sur un testament si ça l'arrange. Moi, je veux savoir ce qui arrive à Gabrielle.

– Je sais… je sais que c'est le sort de Gabrielle qui t'intéresse, dit Dora. Pauvre petite ! Pour le moment, elle est pensionnaire chez les Ursulines, à Québec. Elle est entre de bonnes mains. Plus tard, on verra. Sa maladie s'est aggravée. Je ne pense pas qu'elle retrouvera la vue. Quelqu'un doit s'en occuper. Elle est à Québec jusqu'à la fin de l'année scolaire, en juin. Nous verrons si elle peut poursuivre des études malgré son infirmité.

C'est loin Québec. Je n'ai même pas l'adresse du couvent. Comment je vais faire pour la voir ? Est-ce que je pourrais lui rendre visite chez les Ourselines ?

– Pas les OURselines… les URsulines… ajoute Dora. Je ne pense pas que tu pourrais lui rendre visite. De toute façon, elle reviendra au mois de juin. À ce moment-là, je vais m'en occuper personnellement. En attendant, occupe-toi de tes devoirs et de tes leçons. Je ne veux pas être obligée de retourner voir à ton école. Ne viens plus m'attendre à la porte du théâtre. C'est assommant à la fin ! Pour la dernière fois ce soir, je te reconduis chez toi. Maintenant que je sais où tu demeures, si j'ai des nouvelles de Gabrielle, je passerai te voir à la maison.

***

Je vais me souvenir toute ma vie de l'hiver 1944. Il a fait froid et j'ai pensé à Gabrielle tous les jours. Je n'ai pas revu Dora une seule fois depuis notre dernier café au Northeastern, même si je suis retourné plusieurs fois dans les environs du Théâtre Gayety. Mon père ne m'a pas parlé beaucoup, mais il a beaucoup écouté la radio. Il pensait que la guerre allait bientôt finir et qu'il perdrait sa job aux Shops Angus. Deux ou trois fois par semaine, le frère Albert m'a gardé en retenue après l'école, parce que j'étais toujours dans la lune et que je ne faisais pas mes devoirs. Je n'ai pas écouté l'émission *Madeleine et Pierre* une seule fois. Depuis que je sais qu'Yvon préfère coucher sur un testament plutôt que de rester mon ami, j'ai pris mes distances. Surtout que l'hiver, ma bicyclette l'intéresse moins. Il y a eu trois tempêtes de neige, et je suis allé pelleter les perrons et les escaliers chez les riches d'Outremont. Ça m'a fait un peu d'argent de poche, mais je n'ai pas eu d'occasions de le dépenser.

Il est à peu près temps que l'hiver dégèle.

Enfin, le mois de juin a fini par aboutir. Mon cœur et ma tête ont éclaté comme du *pop-corn* sous les premières chaleurs de l'été. J'ai décidé d'écrire un poème à Gabrielle, un poème que je pourrais lui déclamer puisqu'elle ne peut pas le lire. Dans mon cahier de devoirs (il y a plein de pages blanches), j'ai écrit : « Juin, c'est l'arrivée des hirondelles et le retour de Gabrielle. » Après, j'ai été incapable de continuer. Je ne savais plus quoi dire. Surtout quand il faut que ça rime…

Juin, c'est aussi le mois des mauvaises nouvelles. Je me suis planté aux examens de fin d'année. Je vais être obligé de recommencer ma sixième année. Mon père n'est pas content. J'ai promis de travailler plus fort l'an prochain. J'espère avoir moins de distractions. Les derniers mois n'ont pas été faciles.

J'ai relu le poème que j'ai failli écrire: «… juin… et le retour de Gabrielle». Ça m'a mis de bonne humeur. Et j'avais raison de l'être. Hier, Dora est venue me voir à la maison, mais j'étais parti me promener à bicyclette. Mon père m'a dit qu'elle doit revenir cet après-midi. Je l'attends sur les marches du perron.

Dora arrive en taxi. Elle me prend dans ses bras (elle a changé de parfum). Je l'embrasse comme on embrasse une grande sœur qu'on n'a pas vue depuis des mois. Elle me conduit chez elle. C'est un appartement au deuxième étage (je crois que Dora aime les escaliers). J'aperçois Gabrielle assise dans le salon. Elle a tout de suite senti ma présence:

– Pierre-Paul, c'est toi… dit Gabrielle en venant vers moi à l'aveuglette. Comme je suis contente que tu sois là!

Et moi donc! C'est ma journée d'embrassades. Je serre Gabrielle contre moi. Nous restons comme ça de longues minutes. Elle pleure doucement, et ses larmes caressent mon cou. Quand je me rends compte que c'est la seule chose que ses yeux peuvent se permettre, je commence à pleurer à mon tour.

– Ça va… ça va… les enfants! Allez-y doucement, dit Dora. C'est pas le moment de chialer. Vous aurez d'autres occasions. Profitons de ces retrouvailles pour passer un bon moment.

Nous sommes assis, tous les trois, sur le canapé du salon. Des tas de choses me passent par la tête, mais je n'arrive pas à trouver les mots pour dire ce que je ressens. Gabrielle n'a pas mis ses verres fumés, et ses yeux malades sont rouges et légèrement ballonnés. Je suis incapable de la regarder en face. Dora devine mon embarras et va chercher les grosses lunettes noires de Gabrielle, qui lui cachent la moitié de la figure. Sa beauté est moins triste avec des lunettes.

Nous soupons tous les trois d'un filet de *haddock* avec des patates pilées. Gabrielle nous corrige. Les bonnes sœurs de Québec lui ont appris beaucoup de choses: le repas du soir, c'est le dîner (pas le souper); le filet de *haddock*, c'est de l'aiglefin; les patates pilées, ce sont des pommes de terre en purée. Les bonnes sœurs de Québec ne semblent pas parler le même langage que les gens de Montréal. J'espère qu'elles se comprennent entre elles. Je plains les pauvres Montréalais qui vivent à Québec.

Je m'inquiète de savoir si Gabrielle retournera à Québec à l'automne (et nous revenir avec des nouveaux mots). Je veux savoir aussi si je pourrai la visiter chez Dora durant les vacances. Toutes ces questions provoquent tout à coup un grand silence. Il faut que j'apprenne à fermer ma boîte.

– Vois-tu, p'tit frère, depuis le mois de février, la vie n'est plus la même, dit Dora. Gabrielle ne peut pas rester ici et aller à l'école du quartier. Il lui faut des professeurs spécialisés. Pour quelque temps, elle devra suivre des cours adaptés à son état. N'est-ce pas Gabrielle que tu es prête à retourner à Québec?

– Je n'ai pas d'autre choix, dit Gabrielle.

– De mon côté, il faut que je travaille pour payer les cours et la pension de Gabrielle. Madame Landreville est complètement invalide. Elle ne peut plus s'occuper de sa fille. Quand Gabrielle aura terminé ses études, je ferai des démarches pour l'adopter légalement. Nous vivrons ensemble, et je lui assurerai un vrai foyer.

C'est bien beau tout ça, mais moi, qu'est-ce que je deviens ? Quand Gabrielle va revenir de Québec, est-ce qu'elle voudra encore de moi ? Dora n'a pas l'air de s'apercevoir que je suis amoureux. Mon seul but dans la vie, c'est de vivre près de Gabrielle et de la marier quand j'aurai atteint l'âge qu'il faut. En attendant, Dora pourrait peut-être m'adopter aussi.

– T'es pas sérieux, p'tit frère, dit Dora. D'abord, je ne peux pas t'adopter légalement. Tu as déjà un père qui s'occupe de toi. Pour ce qui est de te marier avec Gabrielle, tu devras attendre d'avoir du poil au menton.

Je connais des tas de gens qui n'ont pas de poil au menton et qui sont mariés. Tout ce que je veux, c'est vivre dans la même maison que Gabrielle en attendant de la marier…, avec ou sans poil au menton. Je suis prêt à attendre le temps qu'il faudra. Et je veux au moins savoir si je peux venir chez Dora, durant les vacances, pour m'occuper de Gabrielle.

– Ça va être difficile, répond Dora. Un ami nous a invitées à passer l'été dans son chalet, au bord d'un lac dans les Laurentides.

Ce n'est plus la grande sœur que j'ai connue. Elle ne fait rien pour m'aider à voir Gabrielle. On dirait qu'elle cherche à m'éloigner de mon amie. Je ne comprends pas. J'aimerais bien savoir ce que Gabrielle en pense.

– Mets-toi à ma place, dit Gabrielle. Si tu étais seul dans la vie et handicapé en plus, tu serais bien content de compter sur Dora. Je vais faire tout ce qu'elle voudra.

– Tu sais bien, p'tit frère, ajoute Dora, que si tu étais dans la même situation que Gabrielle, je m'occuperais de toi aussi. Allez, sois raisonnable. Revoyons-nous à la fin de l'été. À mon retour des Laurentides, je passerai chez toi, et nous irons tous les trois faire la fête dans un restaurant, comme au bon vieux temps du 306 Ontario.

J'ai compris. Si un jour je me ramasse dans la rue, seul et abandonné de tous, Dora me récupérera et m'adoptera. Pour le moment, c'est pas mon cas. Je suis juste à moitié orphelin. À moitié orphelin et avec tous mes morceaux. Donc, pas facilement « adoptable ».

Je rentre à la maison en début de soirée. Mon père est assis à la table de cuisine et roule ses cigarettes avec un petit tube en métal. Je m'assois en face de lui pour mieux attirer son attention et lui pose directement la question : « Serais-tu d'accord pour adopter une fille de mon âge qui viendrait habiter avec nous ? »

Mon père continue à rouler ses cigarettes et ne me répond pas.

Je continue avec une autre question : « Si tu savais qu'il y a, quelque part, une bonne personne qui est prête à m'adopter, serais-tu d'accord pour me renier comme fils et pour m'abandonner ? »

Sans lever la tête de sur ses maudites cigarettes, il me répond :

– N'oublie pas de descendre les vidanges, ce soir. La poubelle déborde. Il y aussi la lèchefrite, sous la glacière. Elle est pleine d'eau. Ça fait deux fois qu'elle se renverse. Les voisins du dessous sont venus se plaindre, ce matin. Sors de ta lune. Il y a plein de choses à faire à la maison.

Ce n'est pas facile d'avoir douze ans quand les adultes ne vivent pas dans la même lune que toi.

Épilogue historique

312, Ontario Est! C'est d'abord une adresse. Une adresse qui a servi de prétexte à une histoire de gardien de bicyclettes. Mais c'est avant tout un lieu réel, un numéro au fronton d'une porte qui s'ouvre sur une enfilade de pièces, une échappée d'escalier mal éclairée, des lits qui grincent au moindre soubresaut; bref, un chiffre, le 312, qui rappelle les amours d'urgence de toute une génération.

Le 312, Ontario Est était le vaisseau amiral d'une flotte de maisons closes qui mouillait en rade du Red Light[1] montréalais dans les années trente jusqu'au milieu des années quarante. L'endroit regroupait une soixantaine de travailleuses du sexe, en service vingt-quatre heures par jour, réparties en équipes de jour et de nuit. Elles se relayaient par périodes de travail de huit heures, dans un immeuble de trois étages, situé juste en face du poste de police nº 4.

La maison était bien tenue. Il y avait parfois relâche le Vendredi saint. Le propriétaire de l'établissement était

1. « Lumière rouge » : quartier des bordels où de petites lumières rouges (ou lanternes rouges), fixées au-dessus de la porte, indiquaient que la maison abritait des « filles » accueillantes et disponibles.

un Français, Marcel Dupré, mieux connu sous le sobriquet de « Marcel les dents en or ». Ses employées n'étaient pas toutes des laissées pour compte de la société. Plusieurs femmes mariées et jeunes filles esseulées venaient faire du temps partiel afin d'arrondir les fins de mois. Marie, une prostituée en fin de carrière, avoua avoir été forcée de pratiquer son métier dans des maisons miteuses, parce qu'elle n'était pas assez jolie pour travailler au 312.

La réputation du 312 allait bien au-delà des frontières de Montréal et même du pays. Durant la dernière guerre, les militaires en transit dans la métropole exportèrent la renommée de cette adresse jusqu'en Europe, grâce au bouche à oreille. Les Kakis qui avaient conservé un bon souvenir de leur passage au 312 suggéraient à leurs camarades qui rentraient au pays : « Si tu passes par Montréal, n'oublie pas d'aller au 312. »

Il n'y avait pas d'âge minimum ni de limite d'âge. Quiconque se présentait avec son billet de deux dollars était automatiquement admis à participer à un corps à corps précipité. Pour accéder au 312, rue Ontario, les clients devaient emprunter un long escalier extérieur. On les voyait parfois faire la queue dans l'escalier, attendant leur tour.

« Au suivant ! Au suivant ! Je jure sur la tête de ma première vérole que cette voix depuis je l'entends tout le temps : Au suivant ! Au suivant ! », comme le chante si bien Jacques Brel.

L'Université de Montréal, rue Saint-Denis au coin de Sainte-Catherine, et le Mont-Saint-Louis, rue Sherbrooke, étaient une source renouvelable de clientèles novices. Lorsque des étudiants se présentaient au 312, la « Madame gouvernante » leur proposait une séance d'exhibitionnisme. Dans une chambre, au fond d'un couloir, les jeunes s'installaient autour du lit, et deux filles de la maison, complètement nues, se tortillaient devant les jeunots. Le but était d'initier ces jeunes à l'anatomie féminine. Après la séance d'initiation, la patronne leur demandait s'ils voulaient faire l'expérience de la « vraie chose », pour la modique somme de deux dollars. Plusieurs hésitaient. Ils se réunissaient à la taverne, coin Ontario et Saint-Denis, histoire de discuter d'anatomie féminine et des techniques de la « vraie chose ».

La « gouvernante » accueillait le client à la porte et le conduisait dans un petit salon où il faisait son choix parmi les filles. Madame poinçonnait la carte de pointage de la pensionnaire, comme dans les usines de guerre, et encaissait les honoraires. À la fin de la semaine, le salaire de la travailleuse du sexe était basé sur le nombre de petits trous dans sa carte de services. Dans l'enquête sur le vice commercialisé, tenue à Montréal dans les années cinquante, le témoignage de la célèbre Madame révéla que les pensionnaires du 312 offraient leurs services, en moyenne, à une dizaine de clients par période de travail et recevaient cinquante pour cent des sommes versées par le client.

Les activités du 312 étaient de notoriété publique. Ce qui amena les autorités religieuses et les ligues de moralité publique du diocèse à faire pression pour fermer les maisons closes. La police dut intervenir. Ce fut alors la comédie des cadenas. Lors d'une descente, les policiers apposaient des cadenas sur une seule porte de l'immeuble. Comme le 312 se trouvait dans un immeuble à logis multiples, les clients étaient invités à utiliser une autre porte qui donnait accès à la bonne adresse. Les policiers ne manquaient pas d'imagination. Ils fixaient parfois le cadenas à une porte de garde-robe. De toute façon, la police téléphonait toujours avant de faire une descente. Si « une grosse madame » était arrêtée, elle reprenait aussitôt du service après avoir payé une amende.

Quand un client trop excessif faisait du grabuge, Madame appelait la police. Tout le « corps » policier se précipitait au 312. Le premier policier sur les lieux se chargeait de mettre un peu d'ordre, puis il recevait un généreux pourboire, soit en argent, soit en nature. Par hygiénique prudence, l'inspecteur Armand Courval de l'escouade de la moralité prenait la précaution de fournir des préservatifs aux policiers qui s'aventuraient dans une descente.

Toutes les filles du 312 à la cuisse légère se retrouvèrent les cuisses à l'air, en février 1944, lorsque tous les bordels de Montréal furent fermés. Ce que divers groupes de citoyens et les ligues de moralité publique n'avaient jamais réussi à faire, l'armée canadienne s'en chargea. La syphilis et autres maladies vénériennes faisaient de tels ravages parmi les hommes de troupe que les autorités militaires menacèrent de déclarer Montréal « ville fermée ». Pour éviter les conséquences économiques d'une telle mesure, les autorités municipales passèrent à l'action.

À la suite d'une rencontre avec les officiers supérieurs de l'armée canadienne, le maire de l'époque, Adhémar Raynault, convoqua le directeur de la police, Fernand Dufresne. Il lui demanda de fermer toutes les maisons de prostitution de la ville.

– Je peux arrêter les tenanciers, monsieur le maire, répondit le chef de police, mais, demain, la Cour les libérera.

– Vous êtes le chef de police, répliqua le maire. Alors, allez voir les juges et demandez-leur d'exercer plus de rigueur.

– Monsieur le maire, ajouta le chef Dufresne, vous me demandez là quelque chose de très difficile. Je suis un ex-juge municipal, maintenant directeur de police. Je me vois mal donnant des conseils aux juges.

– Eh bien! Arrêtez les tenanciers du lundi au vendredi, si nécessaire; après cela, si l'état de choses demeure, vous viendrez me voir. En tant que premier magistrat, j'irai moi-même parler aux juges de la cour municipale.

C'est ainsi que l'armée put protéger ses soldats contre la syphilis et gagner la guerre en Europe. Quant aux juges, ils furent vertement semoncés par monsieur le maire. Les travailleuses du sexe, devenues indépendantes, quittèrent donc le 312 (et autres maisons de débauche), puis se répandirent un peu partout dans les rues et aux abords des hôtels de la ville.

Si vous passez, aujourd'hui, devant le 312, Ontario Est, vous constaterez que le numéro civique n'existe plus. Le 314 et le 316 sont toujours bien indiqués, au fronton des portes du premier étage. Par pudeur, on a remplacé le 312 par le 308. Et ce, depuis plus de cinquante ans.

On dira, après, que les Montréalais n'ont pas de mémoire.

Robert W. Brisebois

Sources bibliographiques de l'épilogue

RAYNAULT, Adhémar. *Témoin d'une époque*, Éditions du Jour, Montréal, 1970.

STANKÉ, Alain et Jean-Louis MORGAN. *PAX, lutte à finir avec la pègre*, Les Éditions La Presse, Montréal, 1972.

WEINTRAUB, William. *City Unique*, McClelland & Stuart, Toronto, 1996.

Cet ouvrage a été composé en Minion corps 12/14
et achevé d'imprimer au Canada en mars 2005
sur les presses de Quebecor World Lebonfon, Val-d'Or.